Tektonika uczuć

Eric-Emmanuel Schmitt

Tektonika uczuć

przekład

Barbara Grzegorzewska

WYDAWNICTWO ZNAK

KRAKÓW 2008

Tytuł oryginału
La tectonique des sentiments

Projekt okładki
Olgierd Chmielewski

Fotografia na okładce
Światosław Lenartowicz

Opieka redakcyjna
Dariusz Żukowski

Adiustacja
Joanna Biedrońska

Korekta
Katarzyna Onderka

Projekt typograficzny
Irena Jagocha

Łamanie
Dorota Ćwiek

ISBN 978-83-240-1041-7

Książki z dobrej strony: www.znak.com.pl
Społeczny Instytut Wydawniczy Znak, 30-105 Kraków, ul. Kościuszki 37
Bezpłatna infolinia: 0800-130-082, e-mail: czytelnicy@znak.com.pl
Gadu-Gadu: 8182

W hołdzie Diderotowi,
raz jeszcze,
bo to fragment *Kubusia Fatalisty*
zainspirował tę historię.

Osoby:

DIANE
RICHARD
PANI POMMERAY
RODICA NICOLESCOU
ELINA

1.

U NIEJ

Wszystko zaczyna się od pocałunku. Mężczyzna obejmuje kobietę. Stojąc, wymieniają długi pocałunek.

Następnie mężczyzna odrywa usta i szepcze czule.

RICHARD Zaraz wracam.

Z gestów, jakimi kobieta próbuje go zatrzymać, wnioskujemy, że chciałaby, aby pieszczota trwała dłużej.

Mężczyzna, pytająco:

RICHARD Pięć minut?

Zupełnie, jakby się targował.

RICHARD Pięć minut?

Uśmiechając się z rezygnacją, kobieta pozwala mu odejść.

DIANE Idź.
RICHARD Przeżyjesz te pięć minut?
DIANE Może.
RICHARD Przysięgnij.
DIANE Nie. To ryzyko, jakie na siebie bierzesz. A ty? Przeżyjesz?
RICHARD Spróbuję. Przysięgam ci.

Odchodzi – elegancki, nonszalancki, z pewnością właściwą mężczyznom, którzy się podobają i są kochani.

Z drugiej strony wchodzi pani Pommeray, matka Diane; widzi Richarda opuszczającego salon.

PANI POMMERAY Gdzie on idzie?
DIANE Po gazety.
PANI POMMERAY Ach! Znowu rozstanie?
DIANE Tylko na pięć minut.
PANI POMMERAY Co za dramat! Pomogę ci jakoś znieść tę próbę. (śmieją się obie) Oddychaj powoli, odpręż się, pomyśl, że idąc do kiosku, nie musi przechodzić przez ulicę, a więc nic go

nie może przejechać, i przypomnij sobie, że ostatnio rzadko się zdarza, żeby na Paryż spadały samoloty. Już lepiej?

Diane filuternie przytakuje. Pani Pommeray błaznuje dalej, przybierając tragiczną minę.

Pozostają nam jeszcze lisy! Może się zdarzyć, że z któregoś ogródka wyskoczy nagle wściekły lis i ugryzie go w lewą łydkę! Albo w prawą!
DIANE (z humorem dalej odgrywa komedię) Masz rację, może się tak zdarzyć.
PANI POMMERAY A wtedy wróci ranny, z wzrokiem utkwionym w jeden punkt...
DIANE... i z pianą na ustach...
PANI POMMERAY... z gorączką...
DIANE... bełkoczący...
PANI POMMERAY... zarażony...
DIANE... ale mnie pocałuje, i ja też się zarażę, no i po paru dniach umrzemy razem i spoczniemy w grobie, objęci, połączeni wiecznym uściskiem. A więc wszystko w porządku.
PANI POMMERAY Masz rację, wszystko w porządku! Gotowam nawet rozbić moją skarbonkę emerytki, żeby wam kupić chryzantemy. (wzdycha) Ach, Diane, kto by pomyślał, że będę cię widzieć taką szczęśliwą. Chyba posiusiam się z radości.

DIANE (z wyrzutem) Mamo...

PANI POMMERAY Tak. Byłaś taka poważna, tak zajęta studiami, egzaminami, karierą polityczną – na swoim stanowisku w parlamencie troszczysz się o wszystkie kobiety, w ogóle nie myślisz o sobie – nie poszczęściło ci się w pierwszym małżeństwie...

DIANE Mamo, daj spokój – nie opowiadaj mi mojego życia.

PANI POMMERAY Ale ja to uwielbiam! Kiedy cię nie ma, opowiadam o tobie na prawo i lewo.

DIANE Teraz jestem, więc się powstrzymaj.

PANI POMMERAY (klaszcze w ręce) Krótko mówiąc, wszystko złe, co się dobrze kończy. Moja córka, która nie wydawała się stworzona do miłości, teraz przeżywa wielką miłość.

DIANE (z mimowolnym powątpiewaniem) Och, nie przesadzajmy...

PANI POMMERAY Jak to nie! Mężczyzna, który latami walczy o to, byś zwróciła na niego uwagę, który umizga się do ciebie, jakby oblegał warowną twierdzę, który kocha cię bardziej niż ty jego... wybacz, moja droga, ale ja nazywam to wielką miłością!

DIANE (poruszona) Kocha mnie bardziej niż ja jego? Naprawdę tak myślisz?

PANI POMMERAY Tak.

DIANE Skąd ci to przyszło do głowy?

PANI POMMERAY Zrobiłaś wszystko, żeby go zniechęcić. Nie dość, że dałaś mu kosza, to jeszcze przez dwa lata kpiłaś sobie z niego, poniżałaś go, naśmiewałaś się z jego uczuć, a kiedy wreszcie pozwoliłaś mu się zbliżyć, oznajmiłaś, że twoja praca zawsze będzie dla ciebie najważniejsza, że lata małżeństwa były najnudniejszym okresem w twoim życiu i że nigdy nie zamieszkacie razem. Przetrwał naprawdę wszystko. Nigdy żaden mężczyzna nie walczył jak on o kobietę. Zresztą ty nie jesteś kobietą: ty jesteś wyzwaniem.

DIANE To dlaczego się ze mną nie ożeni?

PANI POMMERAY (oszołomiona) Jak to?... Przecież to ty nie chcesz!

DIANE I co z tego?

PANI POMMERAY No wiesz!... Odrzucasz jego oświadczyny, a potem masz mu za złe, że się z tobą nie żeni!

DIANE Zawsze tak robiłam i w niczym mu to nie przeszkadzało. Czemu tym razem przejmuje się moją odmową?

PANI POMMERAY Wydałam na świat potwora!

Pauza. Pani Pommeray uświadamia sobie, że Diane jest rzeczywiście zaniepokojona.

Nie oświadczył ci się po raz kolejny?

DIANE W ostatnich miesiącach nie.

PANI POMMERAY A gdyby to zrobił, wyszłabyś za niego?

DIANE Nie wiem.

PANI POMMERAY Co za wstrętna dziewucha!

DIANE Nie, mamo, niepokoję się. Boję się. Nie zachowuje się już tak jak dawniej. Zdarza się, że ziewa, kiedy czytamy, siedząc koło siebie. Nie przybiega, zziajany, kiedy rozstaniemy się na parę godzin, z miną nieszczęśliwego dziecka, które właśnie uniknęło katastrofy. Przytula mnie jeszcze do siebie, jak przed chwilą, ale teraz nie miażdży mi żeber. Zresztą nie ma już w sobie tej gorączki, tych nieopanowanych gestów, które zdradzały jego niecierpliwość, tych gestów, które często sprawiały mi ból. (z rozpaczą) Mamo, on już mi nie sprawia bólu.

PANI POMMERAY Subtelnieje. Nie zapominaj, że to tylko mężczyzna.

DIANE Lepiej znosi służbowe podróże, które oddalają nas od siebie na kilka dni... Dawniej umierał z niepokoju, że mnie straci.

PANI POMMERAY To oznacza, że wierzy w wasz związek.

DIANE (bardzo szczerze) Nie można być zakochanym i wierzyć w związek.

PANI POMMERAY Można!

DIANE Nie!

PANI POMMERAY To twoje zdanie, nie jego.
DIANE Co możesz o tym wiedzieć?
PANI POMMERAY A ty? (łagodnie) Zapytaj go.
DIANE Nie. Obawiam się, że rozumiem.
PANI POMMERAY Kobiety mogą zrozumieć tylko to, co jest kobiece w mężczyźnie; mężczyźni tylko to, co jest męskie w kobiecie. Innymi słowy, żadna płeć nigdy nie zrozumie drugiej. Tłumacząc sobie jego zachowanie, możesz być pewna, że się mylisz.
DIANE Mężczyzna i kobieta są dla siebie obcy?
PANI POMMERAY Oczywiście, dlatego od tak dawna wszystko się dobrze układa.
DIANE Dlatego się nie układa.
PANI POMMERAY (z powagą) Zapytaj go.
DIANE Nie! Zdradziłabym swoje obawy.
PANI POMMERAY Zapytaj.
DIANE Nie! Za bardzo boję się odpowiedzi.
PANI POMMERAY Diane, przestań odpowiadać za niego. Zapytaj go! Jak kobieta... Nie wprost... Bądź przebiegła... Mów, jakby chodziło o ciebie: „Richard, nie zauważyłeś, że czasem ziewam, kiedy siedzimy obok siebie i czytamy, że nie przybiegam jak dawniej, kiedy nie widzimy się przez kilka godzin, że kiedy cię obejmuję, nie ściskam cię już tak mocno" i tak dalej. Zobaczysz, co ci odpowie.

Diane zdaje się zainteresowana propozycją matki. Jednak nadal drży.

DIANE Do żadnego mężczyzny nie przywiązałam się tak jak do niego.
PANI POMMERAY Wiem, kochanie. To jeszcze jeden powód, żeby przestać zadręczać się tymi strasznymi wątpliwościami, które zatruwają ci wyobraźnię.
DIANE Tak sądzisz?
PANI POMMERAY Posłuchaj mnie: może cię spotkać tylko miła niespodzianka.
DIANE Nie przeżyję rozczarowania.

W tej chwili wraca Richard z gazetami pod pachą. Obie kobiety znów zachowują się naturalnie. Pani Pommeray rusza w jego kierunku.

PANI POMMERAY Ach, oto i Richard i jego gazety! Ciągle gazety! Znowu gazety!
RICHARD Tak, wiem, to narkotyk. Nie mogę się bez nich obyć. Codziennie jest to samo. Typowe objawy choroby.
PANI POMMERAY Myślę, że nie wie pan nawet, po co je czyta.
RICHARD (przelatuje wzrokiem tytuły) Mm?
PANI POMMERAY A czy w ogóle dają panu choć trochę przyjemności? Czy jest jakiś dzień, kiedy smakują lepiej niż w inne?

RICHARD Poniedziałek, bo w niedzielę jestem ich pozbawiony.

PANI POMMERAY No proszę: całkowite uzależnienie. Mój biedaku, współczuję panu.

RICHARD Niewdzięczna, przecież zaopatruję panią w krzyżówki!

PANI POMMERAY Wszyscy wiedzą, że gazety wynaleziono tylko po to, żeby dostarczały krzyżówek. Bo poza tym jaki z nich pożytek? Wiadomości, które codziennie się zmieniają, informacje, które już następnego dnia stają się przeterminowane: czy to jest poważne?

RICHARD Wszystko się codziennie zmienia, to pani nie chce się z tym pogodzić.

PANI POMMERAY Tratatata, nie będę się z panem wdawać w merytoryczne dyskusje: nie dorasta pan do mojego poziomu.

Richard wybucha śmiechem.

RICHARD Poddaję się.

PANI POMMERAY Do zobaczenia.

RICHARD Do zobaczenia, maminko.

Pół żartem, pół serio całuje ją w rękę. Pani Pommeray śmieje się, zachwycona komitywą, w jakiej jest z Richardem, po czym wychodzi.

Richard wybiera kilka gazet i daje Diane.

RICHARD Proszę, to twoje.
DIANE Dziękuję.

Siadają. Richard natychmiast zagłębia się w lekturze dziennika, gdy tymczasem Diane ociąga się z czytaniem.

DIANE Mówiłeś poważnie, Richard, że „wszystko się codziennie zmienia"?
RICHARD Rzadko mówię poważnie, kiedy rozmawiam z twoją matką. A o co chodzi?
DIANE „Wszystko się codziennie zmienia", powiedziałeś. Naprawdę tak myślisz?
RICHARD Chyba tak.
DIANE Chciałabym, żeby to nie była prawda.

Richard nie odpowiada, zaczytany w jakimś artykule.

Nagle dociera do niego, co powiedziała Diane. Zwraca się ku niej i widzi, że ma posępną minę.

RICHARD Co się dzieje?
DIANE Richard, od dawna mam ochotę ci coś wyznać. Ale boję się, że sprawię ci przykrość.

Milczenie. Richard jest zaniepokojony.

RICHARD Tak?

DIANE (śmieje się, żeby ukryć zdenerwowanie) Nie, wybacz, jednak nie, nie powinnam ci tego mówić...
RICHARD Diane, pierwsze z naszych uzgodnień brzmiało: mówimy sobie wszystko.

Ujmuje jej ręce i stanowczo nalega. Diane, zmieszana, musi go usłuchać. Odsuwa się od niego, żeby poczuć się pewniej, pochyla do przodu i zmienia ton.

DIANE Zauważyłeś, że się zmieniłam?

Richard patrzy na nią. Nie odpowiada.
Pauza.
Diane przebiega dreszcz.

DIANE A więc zauważyłeś.
RICHARD (bardzo zaniepokojony) O czym ty mówisz?
DIANE Tak, zauważyłeś to. Zauważyłeś, że czasem ziewam, kiedy siedzimy obok siebie i czytamy. Że nie przybiegam jak dawniej, kiedy nie widzimy się przez kilka godzin. Że już nie ściskam cię tak mocno, kiedy cię obejmuję. Że lepiej znoszę twoje służbowe podróże, które nas od siebie oddalają.

Richard wpatruje się w nią, przerażony.

Diane nie dostrzega bólu, jaki mu sprawia. Myśli, że Richard milczy, ponieważ przyznaje jej rację. Wzburzona, mówi dalej.

DIANE Na początku prosiłam, żebyśmy spędzali czas tylko we dwoje; później wychodziliśmy na miasto raz w tygodniu, potem co drugi dzień, a teraz najczęściej mam ochotę, żebyśmy jedli kolację z przyjaciółmi, poza domem. Zauważyłeś?

Głębokie milczenie. Richard jest blady jak papier. Zdenerwowana, Diane brnie dalej.

DIANE Nie nalegam już, żebyśmy co noc byli razem. Jakiś niewinny katar, ciężkostrawny posiłek, trochę pracy, odrobina zmęczenia i zaraz proszę, żebyś wrócił na noc do siebie.

Diane patrzy na niego uważnie. Richard, bardzo blady, z czołem zroszonym potem, wciąż nie reaguje.

DIANE Czy spostrzegłeś, że nie jestem już tak wesoła jak dawniej? Straciłam apetyt, piję i jem tylko przez rozum, mam kłopoty ze spaniem. Dlaczego tak często chcę być sama? W nocy się zastanawiam: on czy ja? Zmienił się? Nie. Przestał być miły? Nie. A więc to ja się zmieniam. Co się dzieje?... Oczywiście to tylko symptomy. Ale symptomy czego?

Wyczerpana, u kresu nerwów, kończy swoją przemowę.

Richard wstaje, wzburzony, podchodzi do niej, ujmuje jej dłoń, podnosi do ust i długo całuje. Potem, wyczerpany, osuwa się do jej stóp.

RICHARD (z bólem) Uwielbiam cię.
DIANE Słucham?
RICHARD Uwielbiam cię, Diane, kocham cię ponad wszystko.

Diane rumieni się, słysząc tę deklarację. Czyżby się myliła?

DIANE Jak to? Po wszystkim, co ci powiedziałam?
RICHARD (rozgorączkowany) Jesteś niezwykłą kobietą.
DIANE Słucham?
RICHARD (ze łzami w oczach) Jak żadna inna.
DIANE Słucham?
RICHARD Nie zasługuję na ciebie. Zresztą zawsze tak myślałem.

Wstaje i z trudem, wysiłkiem woli, mówi dalej:

RICHARD Tak. Masz rację.
DIANE Ja?
RICHARD Masz rację.
DIANE Jak to? Nic nie powiedziałam.
RICHARD Owszem. Ty się ośmieliłaś. Miałaś odwagę, której ja bym nie miał. Nie bałaś się powiedzieć tego, co ja w sobie tłumię, co przed tobą ukrywam, co przed sobą ukrywam.
DIANE (blednie) Czego?

Richard siada przy niej. Diane zaczyna się obawiać tego, co usłyszy.

RICHARD Ty powiedziałaś to pierwsza, Diane, ale twoja historia jest słowo w słowo także moją. Tak, ja też, chcąc nie chcąc, wbrew sobie, czuję, że moje uczucie słabnie.

Patrzy na nią chłodno.

Porażona, Diane zamyka oczy i odwraca głowę. Ciało jej przebiegają dreszcze. Chciałaby przestać widzieć i przestać słyszeć, ale jest już za późno. Richard nie zamierza przerywać.

RICHARD Masz rację: nie jesteśmy już tacy jak dawniej. Miłość gdzieś uleciała. Z całego serca, z całej duszy chciałbym, żeby tak nie było, ale moja wola nic tutaj nie pomoże...

Oczy Diane wypełniają się łzami.

DIANE A więc to prawda?
RICHARD Niestety.

Patrzy na nią.
Pauza.

DIANE I co?

Richard wzdycha.

RICHARD Teraz moja kolej, żeby być równie odważnym co ty... (nabiera powietrza, wstaje, podchodzi do niej od tyłu i otacza ją ramionami) Skończmy z udawaniem: rozstańmy się.

W oczach ma łzy.
Diane jest bliska omdlenia, z trudem łapie oddech, jednak bierze się w garść.

DIANE Zgoda.

Richard jest zaskoczony. Spodziewał się sceny rozpaczy.

DIANE Tak będzie najuczciwiej.

RICHARD (przytakuje bez przekonania) Tak będzie najuczciwiej.

Diane wyzwala się z jego objęć. Wstając, chwieje się na nogach. Zdaje sobie sprawę, że za chwilę już nie będzie mogła udawać.

DIANE Nie masz nic przeciwko temu, żebyśmy dzisiaj na tym skończyli?
RICHARD Rezygnujemy ze wspólnego obiadu?
DIANE Muszę chwilę pomyśleć.
RICHARD (z bólem) Tak. (pauza) Tak będzie lepiej.
DIANE Owszem, tak będzie lepiej.

Diane chce się oddalić, ale Richard przytrzymuje ją za łokieć, jakby chciał objąć ją namiętnie, zapominając, co przed chwilą powiedział.

Kiedy jednak staje z nią twarzą w twarz, opanowuje się i zmusza do uśmiechu.

RICHARD Zostaniemy wielkimi przyjaciółmi.
DIANE Oczywiście.
RICHARD Największymi na świecie.
DIANE Oczywiście.

Richard, zmieszany, chce pocałować Diane w usta, ale w ostatniej chwili uświadamia sobie, że byłoby to nie na miejscu i składa pocałunek na jej czole.

Diane stoi z zaciśniętymi pięściami – ma ochotę go uderzyć.

RICHARD Przyjaciele?
DIANE Przyjaciele!

Diane wychodzi.

Richard, wzburzony, oszołomiony, chciałby jak najszybciej uciec. Zbiera swoje gazety, kiedy wchodzi pani Pommeray.

PANI POMMERAY Jak to? Już pan ucieka? Nie zostaje pan na obiad?
RICHARD Diane pani wszystko wyjaśni.

Pani Pommeray kiwa głową, jakby już zrozumiała.

PANI POMMERAY Do zobaczenia wkrótce?
RICHARD (zdawkowo) Do zobaczenia.

Pani Pommeray zatrzymuje Richarda, nim ten zdąży wyjść. Nie zauważa jego zdenerwowania.

PANI POMMERAY Richard, wmieszam się do tego, co nie jest moją sprawą – taki mam zresztą zwyczaj – ale ponieważ kocham was oboje i dobrze znam swoją córkę, dam panu radę: niech pan jej zaproponuje małżeństwo.

RICHARD Słucham?

Po raz drugi dostaje obuchem w głowę.

PANI POMMERAY Wiem, że kilka miesięcy temu dostał pan od niej kosza. Teraz jednak jestem pewna, że jeśli jeszcze raz jej pan to zaproponuje, zgodzi się.

Richard, zakłopotany, nie wie, co odpowiedzieć.

PANI POMMERAY Tak naprawdę o niczym innym bardziej nie marzy.

Żeby uciąć rozmowę, Richard rzuca się na panią Pommeray i całuje ją w oba policzki, omal nie łamiąc jej żeber.

RICHARD Do widzenia, maminko.
PANI POMMERAY Do widzenia, Richard.

Richard się wycofuje. W progu omiata jeszcze błędnym wzrokiem miejsce, gdzie kilka godzin wcześniej czuł się jak w raju...

2.

ULICA

Na źle oświetlonej ulicy na obrzeżach miasta, pośród wiaduktów i obwodnic dla ciężarówek, w brudnym świetle latarni stoi młoda dziewczyna oparta o mur domu. Zmęczona, odurzona narkotykami, czeka na potencjalnych klientów, których cienie przesuwają się po jej ciele.

Malujący się na jej twarzy smutek nie jest w stanie zatrzeć jej urody.

Z zadymionej kawiarni, w której trzeszczące radio wyrzuca z siebie modne piosenki, wychodzi nagle Diane w towarzystwie dojrzałej kobiety.

RODICA To tyle. Powiedziałam pani wszystko, co wiem.

DIANE Dziękuję, bardzo dziękuję, pani Nicolescou.

Rodica Nicolescou ma około pięćdziesięciu lat, ciało i twarz zniszczone. Ubrana jest w ciasne i jaskrawe ciuszki bardzo sexy. Wyprostowuje nogi, przeciąga się, zapala papierosa, jakby chciała zaczerpnąć powietrza.

RODICA Myśli pani, że to się na coś przyda?

Diane chowa zapiski do teczki.

DIANE Kiedy tylko napiszę mój raport, postaram się skłonić parlament, żeby jakoś polepszył wasze życie. Obiecuję to pani.

Diane zauważa dziewczynę stojącą po drugiej stronie ulicy.

RODICA Jest pani szanowaną kobietą, deputowaną, ma pani dobry zawód, pracę, a interesuje się pani takimi jak my! Dlaczego?
DIANE Kiedy skończyłam studia, jako prawie jedyna kobieta pośród tylu mężczyzn, przyrzekłam sobie, że jeśli kiedyś trafię do świata polityki, w pierwszym rzędzie zajmę się losem kobiet.
RODICA Losem kobiet, w porządku. Ale prostytutek?
DIANE Są tak źle traktowane, bo są kobietami, prawda?

RODICA Może ma pani w rodzinie kogoś, kto...
DIANE (zakłopotana) Nie.
RODICA Siostrę... matkę...
DIANE (rozbawiona) Nie, nikogo. Moja matka byłaby zresztą zaszokowana, gdybym jej powiedziała, że domagałam się, by powierzono mi tę misję!
RODICA Jest pani bardzo otwarta.
DIANE Nic podobnego: wykonuję swój zawód. Sądzi pani, że lekarz mógłby odmówić leczenia chorego pod pretekstem, że nie podoba mu się użytek, jaki ten robi ze swojego ciała?
RODICA Zdarzały się takie rzeczy.
DIANE Nie, na pewno nie dobry lekarz, nie humanista, nie człowiek, który wierzy w medycynę. To samo w polityce. Kiedy się nie znosi prostytucji, nie można zachowywać się tak, jakby nie istniała.

Diane już ma zapytać, kim jest dziewczyna stojąca pod latarnią, ale Rodica jej przerywa.

RODICA Ach, sama pani widzi, nie podoba się pani!
DIANE Co?
RODICA Prostytucja.
DIANE Oczywiście, że mi się nie podoba. A pani?
RODICA (potakuje) Ho, ho, to moje życie, więc jasne, że mi się nie podoba!

DIANE Nieważnie, czy świat mi się podoba, czy nie, przyjmuję go takim, jaki jest, i zakasuję rękawy. Nie sądzę, żeby można było zmieniać ludzi, ani tym bardziej że powinno się to robić. Co więcej: nie ufam politykom, którzy mają taką ambicję – to materiał na dyktatorów. Ani pani, ani ja nie naprawimy ludzkości, pani Nicolescou! Możemy jednak ulepszyć prawo, sprawić, by było mniej obłudne. Przygotowuję ten raport, bo chcę mieć pewność, że wasze prawa, zdrowie i godność nie będą dłużej deptane.
RODICA No to bingo! Jeśli nie boi się pani pracy, trafiła pani pod dobry adres!

Diane wskazuje piękną młodą dziewczynę, która przed chwilą zwróciła jej uwagę.

DIANE Kto to?
RODICA Och, to biedna dziewczyna!
DIANE I co jeszcze?
RODICA (z pogardą) Mówią na nią „intelektualistka". Godzinami może recytować wiersze. Domyśla się pani, jakie to przydatne w naszym zawodzie!
DIANE Dawno nie widziałam tak pięknej kobiety.
RODICA (zła) Ach tak? Myśli pani jak jej klienci.
DIANE Jest taka smutna...
RODICA Na szczęście... Niektórych to zniechęca.

DIANE (zamyślona) Przedstawi mi ją pani?
RODICA (zdziwiona) Przedstawić ją? (wzrusza ramionami) Elina, chodź tu do nas. Elina, Elina, no chodź!

Dziewczyna nie reaguje.
Rodica i Diane podchodzą do niej.

RODICA Przedstawiam ci panią Pommeray, która jest deputowaną i pisze o nas raport, żeby politycy poprawili nam trochę życie. Przywitaj się.
ELINA (bezbarwnie) Dzień dobry pani.
DIANE Dzień dobry.

Diane usiłuje na próżno schwytać spojrzenie Eliny.

RODICA Mówiłam jej, że znasz francuskie wiersze. Mnóstwo wierszy na pamięć. Że nauczyłaś się ich u nas w Rumunii.

Elina nie reaguje.

RODICA Powiesz jej jakiś?
ELINA Jestem zmęczona.
RODICA No nie wygłupiaj się. Pokaż jej. Niech zobaczy, że w Rumunii są ludzie tacy jak ty.
ELINA Nie mieszkam już w Rumunii.

RODICA Nie kumasz, o co mi chodzi? To zrobi dobre wrażenie... chociaż raz jedna z nas pokaże, że liznęła trochę kultury. To się przysłuży naszej sprawie.
ELINA Jestem zmęczona.
RODICA Patrzcie ją, jaka charakterna! (do Diane) Trzeba jej wybaczyć, proszę pani. Studiowała literaturę francuską w Bukareszcie, kiedy jacyś ludzie zaproponowali jej pracę opiekunki do dzieci we Francji. Obiecywali, że będzie mogła zapisać się na uniwersytet, że pozna Paryż, księgarnie, biblioteki, teatry... A kiedy już tutaj przyjechała, oczywiście zgwałcili ją, pobili, zabrali jej papiery i postawili na ulicy. Normalka!
DIANE (wstrząśnięta) Trzeba złożyć skargę!

Elina spuszcza oczy. Rodica odpowiada zamiast niej.

RODICA Jak można złożyć skargę, kiedy się nie ma papierów? Kiedy jest się tu nielegalnie? Kiedy się wie, że tamci, jak tylko się dowiedzą, wprowadzą w życie swoje groźby?
DIANE Czym jej grożą?
RODICA Że sprowadzą do Francji jej młodszą siostrę i też wyślą ją na ulicę. Normalka!

Słysząc to, Elina robi gest zdradzający przerażenie, potem opanowuje się i znowu staje się nieobecna duchem.

Diane jest bardzo przejęta sytuacją.

DIANE To potworne. Zrobię wszystko, co w mojej mocy, żeby wam pomóc. Mój raport będzie bardzo przekonujący i będę go przedstawiać w poszczególnych komisjach, trąbić o nim w przerwach między obradami, dopóki nie wymuszę odpowiednich reform i nie doprowadzę do poprawy tej sytuacji... To, co teraz mówię, to nie są puste słowa ani obietnice wyborcze, niech mi pani wierzy.
RODICA Wierzę pani, dziękuję.
DIANE (zwraca się do dziewczyny) Współczuję pani, Elino. Nawet jeśli teraz nic z tego nie wynika, proszę wiedzieć, że pani współczuję.

Elina sprawia wrażenie, jakby nie słyszała.
Diane nie nalega i zbiera się do odejścia.
Robi kilka kroków, lecz Elina ją zatrzymuje.

ELINA Niech pani zaczeka. Powiem pani wiersz.
RODICA (poirytowana) Nie warto, Elina! Teraz jest już za późno!

Diane uśmiecha się do Eliny i zapewnia ją bardzo ciepło:

DIANE Z przyjemnością posłucham.
ELINA To wiersz Baudelaire'a. Nauczyłam się go już po przyjeździe tutaj.

Elina wystawia swoją piękną twarz do światła i zaczyna recytować.

ELINA
Jeżeli ją spotkacie, dziwnie wystrojoną,
Jak kręci się na rogu ulicy zgubionej,
Kryjąc głowę i patrząc jak gołąb zraniony,
W wartkim nurcie rynsztoku bosą piętę mocząc,

Nie rzucajcie, panowie, wyzwisk w to oblicze,
Wymalowane różem, biednej ladacznicy,
Której Głodu bogini w ten wieczór zimowy
Kazała podnieść kiecki i po mieście chodzić.

Ta dziewka dla mnie wszystkim, to moje bogactwo,
Moja perła, mój klejnot, królowa i bóstwo,
Ona mnie kołysała na zwycięskim łonie,
Ona zagrzała serce w obu swoich dłoniach[1].

Z promienną twarzą, czysta jak madonna, kończy wiersz ze łzami w oczach.

Diane patrzy na nią wzruszona.

---

[1] Przełożył Jacek Giszczak.

3.

U DIANE

Ubrany wieczorowo, elegancki i uwodzicielski Richard wpada do salonu Diane z butelką szampana w ręku i zgrabnie chwyta dwa kieliszki.

RICHARD (wykrzykuje) Szampan!
DIANE (zza sceny) Szampan?
RICHARD Szampan!
DIANE (zza sceny) Z jakiej okazji?
RICHARD Zanim pójdziemy do restauracji, musimy to uczcić.

Przyciska jakiś guzik, rozlega się muzyka: południowoamerykański jazz. Richard wykonuje kilka tanecznych kroków. Kołysze się zmysłowo, z niedbałym wdziękiem.

DIANE Co będziemy czcić?

Wchodzi do pokoju; wygląda wspaniale.

Richard rzuca jej pełne podziwu spojrzenie, podchodzi tanecznym krokiem i wręcza jej kieliszek.

RICHARD Naszą trzeźwość umysłu.

Diane z gracją bierze kieliszek.

RICHARD Pogrzebiemy za pomocą kilku bąbelków to kruche uczucie, jakie nas łączyło.

DIANE Za stracone...

RICHARD ... złudzenia!

Trącają się kieliszkami.

W ich radości jest coś wymuszonego.

Po wypiciu łyka Diane siada na brzegu fotela.

DIANE Zdajesz sobie sprawę? Jakbyśmy ze sobą żyli, gdyby jedno z nas przestało kochać, podczas gdy drugie kochałoby nadal...

RICHARD (śmieje się) No właśnie...

DIANE Wyobraź sobie, że twoja miłość trwałaby dłużej niż moja...

RICHARD Okropność!

DIANE Albo na odwrót...

RICHARD (śmieje się jeszcze bardziej) Tragedia!
DIANE Tragedia... (pauza)

Porwany muzyką, Richard podchodzi i zaprasza ją do tańca. Nie tańczą naprawdę, ale wystarczy kilka ruchów, żebyśmy się zorientowali, że byli dobrymi kochankami i że te wspomnienia są jeszcze w nich bardzo żywe.

DIANE Właściwie które z nas pierwsze przestało kochać?

Richard zastanawia się przez kilka taktów, a potem mówi nagle, jakby się rzucał do wody.

RICHARD Obawiam się, że ja.
DIANE Tak? Z czego to wnioskujesz?
RICHARD Nie widziałem z twojej strony żadnej oznaki oziębienia, podczas gdy stwierdzałem je u siebie. Żyłem z poczuciem winy od dobrych kilku miesięcy.
DIANE Ilu?
RICHARD Od zeszłej jesieni.
DIANE (zatrzymuje się, zaskoczona) A więc to prawie rok? (opanowuje się i znów podejmuje taniec) Co miałeś sobie do zarzucenia?
RICHARD To, że przez lata robiłem wszystko, żebyś mnie pokochała, i nagle, kiedy nastało szczęście,

kiedy wreszcie zapanowała między nami jedność, poczułem, że moja miłość słabnie.
DIANE Może kochałeś mnie tylko dlatego, że ja ciebie nie kochałam?
RICHARD Nie, nigdy nie byłem tak szczęśliwy, jak w okresie naszej wzajemnej miłości, przysięgam ci.

Powiedział to bardzo żarliwie, przylegając ciałem do jej ciała. Mamy wrażenie, że zaraz ją pocałuje.

Poruszona, Diane osuwa się na kanapę, żeby się od niego oderwać.

DIANE Może wolisz walczyć niż kochać? Czy nie tak działasz w sprawach zawodowych? Zdobywasz nowe rynki, zmagasz się z konkurencją, chcesz zwyciężać, odnosisz sukcesy, ale mało korzystasz ze swoich pieniędzy. Może tak samo jest z miłością? Może lubisz tylko zdobywać?

Richard znów nalewa szampana.

RICHARD To byłoby obrzydliwe...
DIANE A może to ty jesteś obrzydliwy? Może nie powinieneś tak bardzo siebie lubić?

Richard, zaskoczony, patrzy na nią ze zdziwieniem. Diane wybucha śmiechem, żeby rozładować skrępowanie.

DIANE Żartuję! Rzeczywiście byłbyś potworem, gdybym ja sama się nie zmieniła, gdybym wciąż jeszcze cię kochała...
RICHARD To prawda.

Wzdycha z zadowoleniem, wyłącza muzykę, podaje jej kieliszek.

RICHARD Teraz wszystko będzie proste.
DIANE Widzę, że ci ulżyło.
RICHARD Tak.
DIANE Ulżyło ci, bo wyleczyłeś się z miłości?
RICHARD Tak.
DIANE (ze smutkiem) A więc to była choroba?
RICHARD (śmieje się) Nie, ulżyło mi, bo już nie muszę kłamać. Teraz będziemy mogli utrzymywać zdrowe stosunki. (z przekonaniem) Przywróciłaś mi szacunek. Szacunek dla siebie. Szacunek dla ciebie. Teraz będziemy się naprawdę przyjaźnić.

Na dźwięk słowa „przyjaźnić" Diane nie może powstrzymać szlochu. Richard to zauważa, lecz mówi dalej, z uniesieniem:

RICHARD Będziemy sobie wszystko opowiadać. Wszystko! Ty będziesz mi mówić o swoich nowych podbojach, ja tobie o moich.
DIANE Dużo ich planujesz?

RICHARD Nie sądzę. Dzięki tobie stałem się bardzo wymagający.
DIANE Dziękuję.
RICHARD W razie czego będziesz wspomagać mnie swoją radą. Ja też będę udzielał ci rad, jeśli uznasz, że są ci potrzebne.

Patrzy na nią dziwnie, po czym dodaje:

RICHARD Kto wie, co się może zdarzyć?
DIANE Tak! Kto to wie?
RICHARD Namiętność pojawia się i znika, ale uczucia pozostają. Jak moje przywiązanie do ciebie, podziw, czułość... Kto wie?
DIANE Kto wie?
RICHARD Kto wie? Może nawet znowu się w tobie zakocham?
DIANE Ach tak? A gdyby tak się stało?
RICHARD Byłbym najszczęśliwszym człowiekiem na świecie.

Nie odrywa od niej wzroku. Diane wstrząsa się, skrępowana, i żeby dodać sobie animuszu podchodzi do urządzenia muzycznego.

Richard idzie za nią. Zwraca się do niej, zaciekawiony.

RICHARD A ty?

DIANE Co, ja?

RICHARD Gdyby wszystko wróciło? Twoje uczucia do mnie?

DIANE Ach... (z przekonaniem) Myślę, że nic nie wróci.

RICHARD (zaskoczony) Dlaczego?

DIANE Pozostaniesz jedyną gorączką, jedyną namiętnością w moim życiu. Wobec tego, z jakim trudem się temu poddałam, nigdy więcej nie ulegnę.

RICHARD No wiesz? Chyba żartujesz! Nie będziesz w ogóle kochała?

DIANE Nie.

RICHARD Ani mnie, ani innego?

DIANE Tak jak cię kochałam. Nie. Nikogo. Nigdy.

Naciska guzik i włącza szaleńczą muzykę. Jakby się z niego naigrawała.

Richard, wzruszony, chciałby coś powiedzieć, lecz nie znajduje słów.

Teraz Diane robi kilka tanecznych kroków, po czym konkluduje:

DIANE A zresztą po co, skoro cokolwiek by się zrobiło, któregoś dnia wszystko przemija. (z wymuszoną wesołością) Szampana?

RICHARD (też z udawaną wesołością) Szampana!

Znów skwapliwie napełnia kieliszki.

RICHARD (niejednoznacznie) Jesteś wyjątkowa, Diane, naprawdę wyjątkowa. Dzięki tobie oszczędziliśmy sobie tych wszystkich kłamstw i podłości, jakie zatruwają życie innym.

Trącają się kieliszkami.

RICHARD (szczerze) Nigdy nie wydawałaś mi się tak piękna i tak mądra jak dziś wieczór.
DIANE (powstrzymuje go) Ćśśś! Tylko bez miłosnych wyznań... wiemy, do czego to prowadzi.
RICHARD Racja.

Wchodzi pani Pommeray.

RICHARD Dobry wieczór, maminko.
PANI POMMERAY Co? (uświadamia sobie, że nie słyszy) Niech pan poczeka, Richard, włączę tylko moje elektryczne uszy.

Zaniepokojona, Diane podchodzi szybko do Richarda i rozkazuje mu cichym głosem:

DIANE Proszę cię, ani słowa mamie, niczego jej jeszcze nie powiedziałam.
RICHARD Dobrze.

Uśmiechają się do starszej pani.

PANI POMMERAY No, teraz pana słyszę.
RICHARD Dobry wieczór, maminko. Jak się pani miewa?
PANI POMMERAY To dobre pytanie, ale odpowiem na nie tylko w obecności mojego adwokata.
RICHARD A jak zdrowie?
PANI POMMERAY Zdrowie nie jest moją mocną stroną. Chociaż, odkąd sięgnę pamięcią, wpędziłam już do grobu kilku lekarzy.
RICHARD Wie pani, maminko, że bardzo panią kocham?
PANI POMMERAY Jest pan taki przystojny, że chętnie w to wierzę. Oczywiście wieczorem gdzieś idziecie?
RICHARD Tak. (podchodzi i całuje ją) Dobranoc. Pójdę tylko po samochód i czekam na ciebie przed domem, Diane!

Robi szybko kilka kroków, lecz nagle staje i wydaje okrzyk bólu. Słaniając się, opiera się o jakiś mebel. Diane podbiega, żeby go podtrzymać.

DIANE (zaniepokojona) Twój krzyż?
RICHARD Tak. Znowu ten cholerny krzyż...
PANI POMMERAY Powinien pan pójść do lekarza, Richard. Mogę dać panu kilka adresów, w moim wieku ma się ich pełny notes.

Diane rozmasowuje mu plecy.

DIANE (zdenerwowana) On już robił badania, mamo. Nic mu nie jest.
RICHARD (zrzędliwie) Tak. Nic mi nie jest poza tym, że mnie boli.
PANI POMMERAY Żaden problem. Mam także adresy psychologów. Zbieram je dla koleżanek od brydża.
RICHARD Zaraz przejdzie... zawsze szybko przechodzi...

Wyprostowuje się z najwyższym trudem. Widać, że naprawdę cierpi. Żeby zatrzeć wspomnienie incydentu, całuje panią Pommeray.

RICHARD Dobrej nocy, najcudniejsza z mateczek.

Wychodzi.
Matka, zarumieniona, zwraca się do córki.

PANI POMMERAY Diane, moja kochana, nie wiem, coś ty mu zrobiła, ale dawno już nie widziałam Richarda w tak dobrym nastroju.
DIANE (zasępiona) Ja też nie.
PANI POMMERAY I pomyśleć, że wczoraj jeszcze wątpiłaś w jego uczucia! Głuptaska! Mam nadzieję, że teraz jesteś spokojna.

Diane kiwa potakująco głową.

DIANE Dobranoc, mamo. Idź się położyć.
PANI POMMERAY Już idę, już idę. (zamierza wyjść, po czym się odwraca) Wybacz mi niedyskrecję, ale... czy poprosił cię o rękę?
DIANE Nie.
PANI POMMERAY No więc, nie chcę uprzedzać faktów, ale nie zdziwię się, jeśli to wkrótce zrobi.
DIANE (z bólem) Nie sądzę.
PANI POMMERAY Tratatata... Gdzie cię dziś zabiera do restauracji?
DIANE Do Rosiera.
PANI POMMERAY Do Rosiera? A nie mówiłam? To idealne miejsce na oświadczyny.
DIANE Mamo, wyłącz swój aparat i idź się położyć.
PANI POMMERAY Zobaczysz, córeczko, zobaczysz. Twoja matka nie jest jeszcze tak zidiociała, jak ci się wydaje. Życie sprawia nam wiele niespodzianek. Dobrze, dobrze, już go wyłączam! I idę się położyć...

Pani Pommeray wybucha śmiechem jak mała dziewczynka i oddala się, tańcząc w rytm radosnego „dobranoc", które wyśpiewuje na sobie znaną melodię.

Zostawszy sama, Diane nie próbuje ukryć zmartwienia. Jej twarz wyraża cierpienie. Wygląda, jakby zaraz miała się rozpłakać... gdy nagle zaczyna krzyczeć. Wydaje z siebie przeciągły ryk zranionego zwierzęcia.

4.

KORYTARZ NA MANSARDZIE

Diane, a za nią obie Rumunki, Rodica i Elina, wchodzą na korytarz na najwyższym piętrze budynku, gdzie dawniej mieszkała służba.

Diane wyjmuje klucze i otwiera drzwi mieszkania.

Gestem wskazuje wnętrze, którego nie widzimy.

DIANE Proszę, to tutaj.

Onieśmielone, Elina i Rodica zaglądają do środka.

ELINA (zachwycona) Fantastyczne.
DIANE Nie przesadzajmy. To tylko małe, jasne mieszkanko pod dachami Paryża.
ELINA (powtarza) Fantastyczne.

DIANE Od kilku lat wynajmuję je studentom. Jeśli uda nam się dojść do porozumienia, oddam je do waszej dyspozycji. (wskazuje na teczkę, którą trzyma pod pachą) Co do waszych papierów, moje biuro popchnęło sprawy do przodu: oto tymczasowe zaświadczenia. Właściwe karty pobytu przekaże wam mój sekretarz. Za dziesięć dni wszystko powinno być załatwione.

Elina i Rodica biorą teczkę i przyglądają się papierom.

ELINA Ach, proszę pani, brak mi słów, żeby...
DIANE Tt tt... obejrzyjcie sobie teraz mieszkanie, przez ten czas załatwię coś z dozorcą. Zastanówcie się, czy wam odpowiada.

Diane wychodzi, pozostawiając obie kobiety przed drzwiami mieszkania.

Każda z nich reaguje w inny sposób: Elina rozpływa się ze szczęścia, natomiast Rodica mruczy coś pod nosem, zasępiona i niespokojna.

ELINA (uszczęśliwiona) Wierzysz w to, Rodica, wierzysz w to?
RODICA (szorstko) Nie.
ELINA (zaskoczona) Jak to? Te papiery nie są prawdziwe?

RODICA Są.
ELINA A to mieszkanie?
RODICA Pytanie tylko, ile nas to będzie kosztować.
ELINA Ale przecież powiedziała, że daje nam je za darmo, dopóki nie znajdziemy jakiejś godziwej pracy.
RODICA Właśnie mówię: ile? Ile nas to będzie kosztować? Co się za tym kryje?
ELINA Daj spokój! Nikomu nie ufasz!
RODICA Życie mnie nauczyło, że nie należy nikomu ufać: nigdy jeszcze nie spotkałam Świętego Mikołaja.
ELINA A deputowane, które biją się o to, żeby kobiety nie były traktowane tak jak my, które angażują swoje nazwisko i reputację, żeby sporządzać raporty dla parlamentu – dużo takich spotkałaś?
RODICA Sęk w tym, że nie...
ELINA Jesteś naprawdę straszna.
RODICA Wszystko, co robi oficjalnie, jest OK – tutaj nie wątpię w jej szczerość. Ale reszta? Polityka, w porządku. Jałmużna, nie. Z jakiej racji? Po co ma robić coś, czego nie musi? Za swoje własne pieniądze? To mieszkanie przynosi jej dochód... No i dlaczego my? Ty i ja? Pisząc raport, spotkała setki dziwek w kłopotach, więc czemu akurat my? Uwierz mi, nie robi tego dla twoich pięknych oczu.

ELINA I bardzo dobrze: wiesz, jak nie cierpię tego, co robiono dla moich pięknych oczu.
RODICA Musi być jakaś cena, Elina! W życiu nie ma nic za darmo.
ELINA Zaraz nam powie. W każdym razie wiem, że jest uczciwa.
RODICA Tak? Gdzie ma to napisane?
ELINA Oszalałaś, Rodica! Pani Pommeray pomaga nam wydostać się z piekła i odbudować nasze życie. Jeśli trzeba zapłacić za to jakąś cenę, chętnie ją zapłacę. Nawet podwójnie.
RODICA Ja też. Mam tylko nadzieję, że będzie mnie na to stać.
ELINA Myślisz, że może być coś gorszego niż to, co teraz robimy?

Rodica wzrusza ramionami.
Wraca Diane.

DIANE I jak, podoba się paniom tutaj?
ELINA Ogromnie, proszę pani, ogromnie.

Podbiega do Diane, chwyta jej dłonie i raz jeszcze całuje je z wdzięcznością.
DIANE A pani, pani Nicolescou?
RODICA To się zobaczy...
ELINA Nie śmie pani tego powiedzieć: jest zachwycona.

Diane spogląda na Elinę i mówi z całą szczerością:

DIANE A teraz, Elino, nie będę pani oszukiwać: to wszystko ma swoją cenę.
RODICA Ha!
ELINA Oczywiście! Jakie są pani warunki?
DIANE Moje warunki? Nie. Chciałabym tylko prosić was o przysługę. Wielką przysługę.

Diane zastanawia się chwilę, po czym zaczyna poważnym tonem.

DIANE Więc tak: chodzi o to, żeby uszczęśliwić pewnego mężczyznę.

Obie kobiety są zaskoczone.

DIANE Chciałabym, żeby pewien mężczyzna zakochał się w Elinie. I żeby wspólnie stworzyli szczęśliwy związek.
ELINA Ale...
RODICA Dlaczego?
DIANE Kocham tego mężczyznę.
RODICA Tym bardziej nie rozumiem.
ELINA Muszę przyznać, pani Pommeray, że ja też nie bardzo widzę, o co...

Diane ucisza je gestem. Opanowując zdenerwowanie, przedstawia sytuację.

DIANE Kilka tygodni temu Richard, mój kochanek, zaczął uskarżać się na bóle w krzyżu. Kazano mu zrobić badania. Oficjalnie nic nie wykazały - w rzeczywistości wyszło na jaw, że ma zaawansowanego raka. Przerzuty są już tak duże, że jakiekolwiek leczenie nie ma sensu: tylko by go jeszcze bardziej osłabiło. Richard o niczym nie wie, sądzi, że to przejściowe bóle i nawet się nie domyśla, co go czeka. Zdaniem lekarzy pozostało mu kilka miesięcy życia. Mniej niż rok.

Obie kobiety zaczynają rozumieć i z życzliwym współczuciem słuchają opowieści Diane.

DIANE Parę dni po tym, jak lekarze wyjawili mi prawdę, Richard oznajmił, że odchodzi.
ELINA Jak to!
DIANE Tak.
RODICA Ach ci mężczyźni!
DIANE Co byście zrobiły na moim miejscu? Zawołałybyście: „Nie, nie, nie rozstawajmy się, niedługo umrzesz, a beze mnie zostaniesz sam jak palec”? Nie powiedziałam nic.

Obie kobiety kiwają potakująco głową. Pod wpływem wzruszenia Diane cała drży.

DIANE Znalazłam w sobie odwagę, żeby obiecać mu, że pozostaniemy przyjaciółmi. (w przypływie złości) Przyjaźń! Jakbym miała ochotę przyjaźnić się z mężczyzną, którego kochałam do szaleństwa. (opanowuje się) Którego nadal kocham...

Zmieszana spogląda na obie kobiety.

RODICA Opuścił panią dla innej?
DIANE Nie.
RODICA No to dlaczego?
DIANE Zmęczenie... nuda...
ELINA To z powodu choroby! Musi go pani odzyskać!
DIANE (stanowczo) Nie. Nie po tym, co mi powiedział.

Kobiety rozumieją, że duma Diane została tak mocno zraniona, że nie powinny nalegać.

DIANE I oto spadacie mi jak z nieba! Elino, ma pani twarz, której się nie zapomina, która budzi zainteresowanie, wzrusza. Gdy tylko panią zobaczyłam, od razu odniosłam wrażenie - być może błędne - że Richard by panią pokochał. Więc tak. Chciałabym ofiarować mu szczęście. Wrażenie szczęścia. Iluzję szczęścia. (podchodzi do Eliny) Błagam, niech się pani z nim spotka i odegra komedię miłości. Jeżeli to się uda, rozjaśni pani jego ostatnie chwile. W ten sposób nie umrze sam, nie mając przy sobie kobiety. Proszę, Elino, niech się pani zgodzi. Niech się pani zgodzi.

ELINA (niepewnie) Nie powinien dowiedzieć się, kim jestem.

DIANE Pozna panią jako kogoś, kim jest pani naprawdę: jako młodą rumuńską studentkę zakochaną w literaturze. Jak mógłby cokolwiek podejrzewać? (łagodnie) W końcu ma przed sobą tylko kilka miesięcy... I chodzi o kłamstwo w dobrej sprawie... To co, zechce pani spróbować?

ELINA Oczywiście, zgadzam się z przyjemnością.

DIANE Och, dziękuję! Dziękuję!

Obejmuje Elinę.

RODICA A ja? Co ja mam robić w tej bajce?

DIANE Proponuję, żeby została pani matką Eliny.

RODICA (zaskoczona) Jej matką!

DIANE Tak. Stateczną, troskliwą, mającą na sercu dobro córki... Będzie pani hamować zapały Richarda, jeśli okaże się zbyt niecierpliwy albo zbyt natrętny. Będzie pani w tym wszystkim uosobieniem szacowności.

RODICA Szacowności... To coś nowego.

ELINA Rodica, proszę, zgódź się. To taka piękna historia. I czy jest lepszy sposób, żeby okupić nasze winy?

RODICA (wściekła) Okupić winy? Jakie winy? Jestem ofiarą, nie zbrodniarką.

ELINA (poprawia się) Żeby się z tego wydobyć. Och, proszę cię, Rodica...

DIANE Ja też proszę.

RODICA Zgoda.

DIANE Dziękuję. A więc umowa stoi. W zamian za tę przysługę mój sekretarz będzie przynosił wam co tydzień kopertę z pieniędzmi na utrzymanie gospodarstwa. Ja ze swej strony wypełnię za was wszystkie urzędowe papiery, które pozwolą wam otrzymywać zasiłki i dadzą dostęp do opieki medycznej. Kiedy będziemy gotowe, możliwie jak najszybciej, zorganizuję spotkanie z Richardem. Bez względu na to, czy mój plan uda się, czy nie, zerwiecie z waszym dotychczasowym życiem i uzyskacie prawo do wolności. Tak czy inaczej, dobrze na tym wyjdziecie.

RODICA To prawda.

DIANE Chciałabym, żebyście nikogo u siebie nie przyjmowały, nawet najbliższych sąsiadek, i żeby Elina zapisała się na uniwersytet, aby kontynuować studia. Dobrze?

ELINA Dobrze.

RODICA W porządku.

Diane wyciąga z kieszeni list i podaje Elinie.

DIANE Proszę, pomyślałam o zabezpieczeniu pani siostry. Oto jej pierwszy list wysłany z pensjonatu dla dziewcząt, na południu kraju, gdzie będzie bezpieczna, poza zasięgiem mafii. Ludzie, którzy pani grożą, nie powinni jej tam odnaleźć.

Elina przyciska kopertę do serca.

ELINA Och, dziękuję! Dziękuję! Na pewno nam się uda, wie pani, na pewno nam się uda.
DIANE Mam nadzieję.

Stara się niczego po sobie nie pokazać, ale głos jej się załamuje.

DIANE Richard musi odejść z tego świata, nie znając naszej tajemnicy. Przysięgnijcie, że nigdy mu nie powiecie, kim jesteście, ani o co was prosiłam. Nigdy. Przysięgnijcie mi to.
ELINA Przysięgam pani.
RODICA Przysięgam.

Diane wręcza im klucze do mieszkania.

5.

U DIANE

Każde na swojej kanapie, pani Pommeray i Richard przeglądają gazety.

Richard jest zatroskany, sprawia wrażenie zdenerwowanego. Jakaś myśl wyraźnie go nurtuje i nie pozwala mu się skupić. Co chwila spogląda na zegarek.

Pani Pommeray, która niczego nie zauważyła, wykrzykuje:

PANI POMMERAY Richard, niech mi pan pomoże: utknęłam w tej krzyżówce!

RICHARD Słucham.

PANI POMMERAY „Uskrzydla" na osiem liter?

RICHARD Aeroplan?

PANI POMMERAY Nie.

RICHARD Wódeczka?

PANI POMMERAY Nie.
RICHARD Nadzieja?
PANI POMMERAY No właśnie! Przyznaję, że to jedno z tych słów, które nie od razu przychodzą mi do głowy, zwłaszcza w moim wieku.
RICHARD (szczerze, nie ukrywając niepokoju) Jak się miewa Diane?
PANI POMMERAY Mój drogi, chyba pana należałoby o to zapytać! To pan dzieli z nią życie, łoże, myśli... Ja ją tylko wydałam na świat a potem wychowałam. Jestem jej matką, a więc osobą, która zna ją mniej niż ktokolwiek inny.
RICHARD Jak może pani tak mówić?
PANI POMMERAY Richard, chce pan powiedzieć, że pańscy rodzice pana znają?
RICHARD (rozbawiony) Nie.
PANI POMMERAY To ludzie, którzy mają najdawniejsze wspomnienia związane z pana osobą, w pobliżu których przeżył pan najwięcej czasu, niewątpliwie, ale o których nie może pan twierdzić, że pana znają.
RICHARD Kochają mnie.
PANI POMMERAY Właśnie! Ale kochać to nie to samo co znać.
RICHARD (przyznaje jej rację) Kochać to woleć od innych, przedkładać ponad innych. To uczucie nie ma nic wspólnego z wiedzą, to coś w rodzaju zaślepienia.

PANI POMMERAY Oczywiście: jeśli każdy ojciec i każda matka wolą własne dzieci od dzieci innych, to przecież nie dlatego, że przeprowadzili badania rynkowe.
RICHARD Zresztą co może być ciekawego w tym, że się kogoś zna?
PANI POMMERAY Wystarczy się z nim spotykać.
RICHARD (zasępia się) Tajemniczość, niedomówienie, nieuchwytność, bez tego człowiek szybko by się znudził...
PANI POMMERAY No właśnie! Poznałam kiedyś pewnego ginekologa – twierdził, że gdyby wszyscy ludzie wykonywali jego zawód, nie byłoby zbrodni w afekcie.

Richard wybucha śmiechem.

W tej samej chwili wchodzi Diane wyraźnie zdziwiona obecnością Richarda. Ten podbiega do niej natychmiast. Widać, że chce jej powiedzieć mnóstwo rzeczy.

RICHARD Diane, wreszcie jesteś!
DIANE Nie spodziewałam się ciebie dzisiaj.
RICHARD Byliśmy umówieni.
DIANE Niemożliwe, dwie znajome mają zaraz wpaść na herbatę.
RICHARD (niezadowolony) Diane, mieliśmy iść razem do kina.

DIANE Naprawdę?
RICHARD Tak. (z mocą) I chciałbym z tobą porozmawiać.
DIANE Porozmawiać ze mną?
RICHARD Tak. Wczoraj wieczór mówiłem ci to przez telefon. (urażony) Jak mogłaś zapomnieć?
DIANE Przepraszam cię, Richard, musiałam pomylić daty.
PANI POMMERAY A więc kiedy twoje znajome zadzwonią do drzwi, wstrzymamy oddech - wtedy pomyślą, że nikogo nie ma.
DIANE Mamo!
RICHARD Długo będą siedzieć?
DIANE Nie. To tylko grzecznościowa wizyta.
RICHARD W takim razie poczekam. Kto to taki?
DIANE Właściwie znam tylko jedną z nich, matkę. Poznałyśmy się kilka lat temu, kiedy byłam służbowo w Rumunii. Niedawno się dowiedziałam, że mieszka z córką w Paryżu, i przez grzeczność zaprosiłam je na herbatę. Obawiam się, że to będzie nudna wizyta.
RICHARD Mam nadzieję. Może tym szybciej się skończy.
PANI POMMERAY Znałam jednego Rumuna, kiedy byłam młoda. Był taki przystojny, miał kruczoczarne włosy i jasne oczy, dziwne, mieniące się różnymi kolorami, od szarości ostrygi po

migdałową zieleń. Wspaniale grał na gitarze. Zresztą miał niesamowite palce.
DIANE (przerywa jej) Mamo, co to ma za związek?
PANI POMMERAY Powiedziałaś „Rumunia" i przypomniał mi się jedyny Rumun, jakiego znałam w życiu. Pomimo swojego wieku próbuję brać udział w rozmowie.
DIANE Nie bardzo ci to wychodzi.
PANI POMMERAY Widać, że go nie znałaś.
DIANE Nie. I nie poznam. Więc...
PANI POMMERAY Nie przekreślaj go tak szybko: mógł być twoim ojcem...
DIANE Zrozumiałam, dziękuję. Ale to nie mój ojciec?
PANI POMMERAY (z westchnieniem żalu) Nie...

Słychać dzwonek do drzwi.

DIANE To one.
PANI POMMERAY Pójdę do siebie na czas, kiedy będziesz podejmowała swoje rumuńskie znajome. Co ty na to?
DIANE Dobrze.
RICHARD A ja zostanę z tobą, żebyśmy się ich szybciej pozbyli. Zgoda?
DIANE Zgoda.

Diane wychodzi przywitać gości.

PANI POMMERAY Nie wiem, co moja córka ma przeciwko temu młodemu człowiekowi, który mógłby być jej ojcem: świetnie się prezentował, proszę mi wierzyć. Był doskonałą partią. Wspaniałe zęby. Znakomity tancerz. Talia osy. Gustowne krawaty. Jedwabne, haftowane kamizelki. I mówił co najmniej sześcioma językami.

Podczas gdy się tłumaczy, Richard podaje jej ramię, żeby odprowadzić ją do pokoju.

PANI POMMERAY Można było zarzucić mu tylko jedną rzecz: nosił za dużo pierścionków. Po jednym na każdym palcu. Ale zdejmował je wieczorem i kładł na nocnym stoliku. Jak wszyscy...

Zniknęli.

Diane wraca z Eliną i Rodiką.

Obie kobiety ubrane są dostojnie, przez co Rodica wydaje się starsza niż jest, Elina zaś jeszcze bardziej pociągająca niż zwykle.

DIANE (głośno) Proszę, proszę...
RODICA To tak uprzejmie z pani strony, pani Pommeray.
DIANE Nie przesadzajmy, nic takiego nie robię...
RODICA Rzadko u kogoś bywamy, odkąd przyjechałyśmy do Paryża.

Zjawia się Richard.

RICHARD Dobry wieczór.

Obie Rumunki wzdragają się, jak skromnisie, które krępuje obecność mężczyzny. Wstają zmieszane.

RODICA Widzę, że przeszkadzamy... jest pani w gronie rodziny...
ELINA Pójdziemy już...
RODICA Nie chcemy zakłócać...

Richard przerywa im.

RICHARD Nie ma mowy.

Patrzy na Elinę. Jej uroda sprawia, że łagodnieje. Uśmiecha się.

RICHARD Domagam się oficjalnej prezentacji.
DIANE Richard, przedstawiam ci panią Rodikę Nicolescou i jej córkę... (zwraca się do Eliny) Jak pani na imię?
ELINA Elina.

Richard szarmancko całuje obie kobiety w rękę, zatrzymując się dłużej przy Elinie.

RICHARD Richard Darcy. Przyjaciel Diane. Bliski przyjaciel.
DIANE Bliski przyjaciel? Pierwszy raz przyznajesz sobie ten tytuł.
RICHARD (ponuro) Bliski przyjaciel, czy to nie właściwe określenie dla kogoś, kto już przestał być bliski?

Ta uwaga zdradza, jak bardzo Richard, zauroczony Eliną, pragnie zdystansować się od swojej dawnej kochanki, pokazać, że jest wolny. Diane odbiera ją jak cios, lecz mimo to przychodzi mu z pomocą, dodając pod adresem obu kobiet:

DIANE Nie przerywacie panie rodzinnego spotkania, ponieważ Richard nie jest ani moim mężem, ani moim narzeczonym.
RICHARD (do Eliny) Jest pani w Paryżu przejazdem?
ELINA Nie. Zamieszkałyśmy tutaj. Studiuję literaturę na Sorbonie.
RICHARD Nad czym pani pracuje?
ELINA Nad Mussetem.
RICHARD (bez zastanowienia) Musset? Co za dziwny pomysł...
ELINA Dlaczego?
RICHARD Musset to bardzo stary autor.

ELINA Autor staje się stary dopiero wtedy, kiedy już nie przemawia do młodych.
RICHARD A co wspólnego ma Musset z dzisiejszymi młodymi ludźmi, którzy są takimi materialistami, którzy są tacy zblazowani, którzy już w nic nie wierzą?
ELINA Zachęca nas, dodaje nam odwagi, pociesza. Bo sam był taki jak my.

Richard jest wzruszony pasją i idealizmem dziewczyny. Przestaje sobie kpić, łagodnieje.

RICHARD Naprawdę? A na przykład co takiego wam mówi?

Elina rumieni się.

ELINA Nie chcę państwa zamęczać.
RICHARD Ależ nic podobnego.
ELINA I boję się, że nie wyrażę tak dobrze tego, co pisze.

Rodica zachęca ją, odgrywając matkę dumną ze swojej córki.

RODICA Zacytuj nam Musseta, Elino.
ELINA Mamo, to śmieszne.
RODICA Wcale nie, zacytuj nam Musseta.

DIANE Z przyjemnością pani posłuchamy, Elino, bo wie pani, dla nas Musset to już tylko nazwa placu albo bulwaru.
RICHARD Tak, prosimy.
ELINA „Wszyscy mężczyźni są kłamcy, zmiennicy, fałszywi, paple, obłudnicy, pyszałki lub tchórze, nędzni i zmysłowi; wszystkie kobiety są przewrotne, wyrachowane, próżne, ciekawe i zepsute; świat jest kałużą bez dna, gdzie czołgają się najpotworniejsze płazy, przewalając się w błocie; ale jest na świecie jedna rzecz święta i wzniosła: zespolenie tych dwojga tak szpetnych i ułomnych istot. Kto kocha, często doznaje zawodu, często cierpi i jest nieszczęśliwy, ale kocha; i kiedy znajdzie się na krawędzi grobu, obraca się, aby spojrzeć wstecz, i powiada: »Często cierpiałem, myliłem się niekiedy, ale kochałem. To ja żyłem, a nie sztuczna istota wylęgła z mej pychy i nudy«”[2].

Richard pożera Elinę wzrokiem w sposób tak natarczywy, że dziewczyna spuszcza oczy.

Widząc to, Diane i Rodica wymieniają porozumiewawcze spojrzenie.

---

[2] Cytat z Musseta w przekładzie Tadeusza Boya-Żeleńskiego.

Richard wstaje i odczuwa ból w krzyżu. Wszystkie trzy kobiety zauważają to, domyślają się, że cierpi, ale nie śmią interweniować.

Richard opiera się o ścianę; udaje, że nic się nie stało.

RICHARD Ten tekst panią zachęca, Elino?...
ELINA Tak.
RICHARD Do czego?
ELINA Do tego, żeby kochać...
RICHARD (zamyślony) Żeby kochać...

6.

KORYTARZ NA MANSARDZIE

Richard, w płaszczu i rękawiczkach, z pakunkami w ręku stoi przed drzwiami mieszkania zajmowanego teraz przez Rumunki.

Próbuje przekonać Rodikę, żeby zgodziła się na jego wizytę i prezenty.

RICHARD Ależ, pani Nicolescou!
RODICA Nie, nie wpuszczę pana.
RICHARD Proszę chociaż przyjąć prezenty.
RODICA Wykluczone.
RICHARD Bardzo panią proszę.
RODICA Nie możemy ich przyjąć.
RICHARD Zostawiam je.

Kładzie pakunki na ziemi.

RODICA Nie otworzymy ich. Mam już sobie za złe, że przyjęłam pierwsze. Ponieważ chodziło o książki, a Elina tak kocha literaturę, nie miałam siły odmówić. Ale odkąd przeszedł pan do bardziej kosztownych podarków, nie chcę nawet wiedzieć, co pan kupuje.

Patrzy z pożądaniem na nazwy słynnych firm wydrukowane na paczkach, jednak odsuwa je od siebie. Richard jest szczerze zasmucony.

RICHARD Pani mnie upokarza.
RODICA Pan też.
RICHARD Ja?
RODICA Daje pan nam odczuć nasze ubóstwo.
RICHARD Pani Nicolescou, nie robię paniom prezentów, żeby pokazać, że ja jestem bogaty, a wy biedne, ale żeby wnieść w wasze życie trochę radości.
RODICA Prezenty to taka sama waluta jak każda inna. Nie mogę się oprzeć wrażeniu, że chce pan coś w zamian uzyskać.
RICHARD Na przykład co?
RODICA Przypodobać się mojej córce.

Pauza.

RICHARD To prawda. Chciałbym się jej spodobać.

RODICA Dlaczego?

Pauza.

RICHARD Bo mnie wzruszyła.
RODICA Niech pan zabierze swoje prezenty.
RICHARD Proszę...
RODICA Niech pan zabierze swoje prezenty.
RICHARD Czy mogę zobaczyć Elinę?
RODICA Nie.
RICHARD Pani Nicolescou, przesadza pani! Elina jest pełnoletnia... Pani zachowuje się, jakbyśmy żyli w ubiegłym stuleciu.
RODICA Tak? Jeśli w naszym stuleciu matki sprzedają swoje córki temu, kto więcej zapłaci, to rzeczywiście nie jestem z tego stulecia. Dla dobra Eliny dbam, żeby zachowała to, co ma najcenniejszego: swoją cnotę.
RICHARD (osłupiały) To stare słowo, cnota.
RODICA Nie w przypadku młodej dziewczyny. (surowo) Zgadzam się z panem, panie Darcy, nasze ubóstwo przenosi nas w ubiegły wiek, ponieważ przywiązujemy wagę do szczegółu, który dziś już w ogóle się nie liczy: dziewictwa dziewczyny. Jeśli chce się pan zabawić i znaleźć łatwe podboje, niech pan nie zniża się do nas i pozostanie raczej w swojej sferze.

Richard nie może uwierzyć, że ma do czynienia z kobietą o tak staroświeckich poglądach. Zachowuje jednak spokój.

RICHARD Zabrania mi pani zobaczyć się z Eliną?
RODICA Tak.
RICHARD Elina się z panią zgadza?
RODICA Nie pytałam jej o zdanie.
RICHARD Nie chce mnie widzieć?
RODICA Skłamałabym, tak twierdząc. Wręcz przeciwnie, bardzo chciałaby pana zobaczyć.
RICHARD No proszę!

Nie może ukryć radości. Rodica sprowadza go na ziemię.

RODICA To ja się temu sprzeciwiam.
RICHARD Ależ, pani Nicolescou...
RODICA Niech pan na siebie spojrzy, panie Darcy: jest pan przystojny, jest pan bogaty, jest pan uroczy.
RICHARD (z uśmiechem) A więc budzę podejrzenia?
RODICA A więc nie można się panu oprzeć. (czujemy, że gdyby to o nią chodziło, uległaby Richardowi) A ja chcę, żeby moja córka się panu oparła.

Richard zastanawia się chwilę.

RICHARD Przyjdę ponownie.
RODICA Jak pan sobie życzy.

Odchodząc, Richard odwraca się i rzuca od niechcenia:

RICHARD Papierosa?
RODICA (bez zastanowienia) Z przyjemnością... (poprawia się) Nie, dziękuję, nie palę.

Richard jest rozbawiony, widząc, że wpadła w pułapkę - rozpoznał, że ma głos palaczki.

RICHARD Na pewno nie?
RODICA Już nie.
RICHARD Ach tak?
RODICA Rzuciłam palenie.
RICHARD (wyciąga wniosek) Zdarza się pani zmieniać zdanie... Więc mogę mieć nadzieję?

Rodica mruczy pod nosem coś niezrozumiałego.

RICHARD (rozradowany) Do widzenia, pani Nicolescou.

Odchodzi.

RODICA Pańskie prezenty!
RICHARD (lekko) Za późno!

Zaczyna schodzić po schodach. Nagle odwraca się i z porozumiewawczym uśmiechem rzuca jej swoją paczkę papierosów. Rodica chwyta ją instynktownie, po czym widząc, że się zdradziła, upuszcza na ziemię. Richard, śmiejąc się, zbiega na dół.

Upewniwszy się, że już sobie poszedł, Rodica szybko podnosi pudełko papierosów i wyciąga jednego.

W progu ukazuje się Elina. Z błyszczącymi oczami podchodzi do Rodiki.

ELINA Zmartwił się?
RODICA Bardzo.
ELINA To dobrze. (Pauza) Nie byłaś zbyt ostra? Nie zniechęciłaś go do reszty? Przyjdzie jeszcze?
RODICA Tak sądzę.
ELINA To dobrze.

Rodica wpatruje się surowo w twarz Eliny.

RODICA Elina, tylko mi się nie zakochaj!
ELINA (z dumą) Przecież tego się ode mnie oczekuje, no nie?

7.

U DIANE

Richard i Diane, każde na swojej kanapie, czytają.

Richard nie może skupić się na lekturze. Z uśmiechem na ustach patrzy w przestrzeń rozmarzonymi oczyma.

Diane to zauważa.

DIANE Co się dzieje?
RICHARD Nic.
DIANE Patrzę tam, gdzie ty, i nie rozumiem, dlaczego się uśmiechasz... Wytłumacz mi, co mój sufit ma w sobie takiego wesołego.
RICHARD Myślałem...
DIANE O czym?
RICHARD (poprawia) O kim?
DIANE (posłusznie) O kim?

RICHARD Jak myślisz?

Diane zamyka się w sobie, co najwyraźniej bawi Richarda. Żeby ją sprowokować, cicho wymawia imię tej, o której myśli.

RICHARD Elina...
DIANE Ach, Elina... Jeszcze... (bezradnie) Przyznam, że sama nie wiem, czy powinnam mówić „jeszcze" czy „już". Kompletnie oszalałeś.
RICHARD Tak? Nie widziałaś mnie nigdy zakochanego?
DIANE Nie w innej.

Pauza. Wyczuwa się, że toczy się między nimi okrutna, subtelna gra polegająca na drażnieniu partnera po to, żeby wyznał, co czuje.

DIANE Tak właśnie jest?
RICHARD Nie wiem.

Wstaje, lecz pod wpływem bólu na chwilę nieruchomieje. Żeby nie upaść, przytrzymuje się komody.

DIANE Ciągle cię boli?
RICHARD Tak. Nie. To zależy od dnia.

Dotyka pleców w okolicy krzyża, wciąga głęboko powietrze. Po chwili się odpręża.

Diane uśmiecha się ze zrozumieniem. Richard zamyka temat, żartując:

RICHARD Jesteśmy niesprawiedliwi wobec naszego ciała: przypominamy sobie o nim dopiero, kiedy dzieje się coś złego, a kiedy je coś boli, mamy mu to za złe.

Diane potakuje, zaabsorbowana, po czym pyta spokojnie:

DIANE Widziałeś się z Eliną?
RICHARD Ten potwór, jej matka, odrzuca teraz wszystkie moje prezenty i zamyka mi drzwi przed nosem.
DIANE To normalne. Ma swoją dumę.
RICHARD To źle pojęta duma.
DIANE (niejasno) A czego się spodziewałeś? (pauza) Więc nie widujesz się z Eliną?
RICHARD (rozpromieniony) Owszem.
DIANE Tak?
RICHARD Po kryjomu. Spotykamy się w parku. Spacerujemy sobie razem.
DIANE (trochę drwiąco) Jakie to wzruszające...
RICHARD Czuję, że mnie kocha. Że gotowa jest mnie pokochać. Tylko...

DIANE (bawi się sytuacją; okrutnie) Tylko, że to wszystko nie wychodzi poza wspólne spacery.
RICHARD (z humorem) ... i wymianę wierszy! Musset, Verlaine, Baudelaire... Już nie mogę! (przytula się do Diane) Co powinienem zrobić?
DIANE (zaskoczona) Jeśli dobrze rozumiem, pytasz mnie o radę?
RICHARD Jesteś moją przyjacióką, Diane... Tak czy nie?
DIANE Twoją przyjaciółką...
RICHARD Tego właśnie chciałaś, żebyśmy pozostali przyjaciółmi.
DIANE Moja rada? Daj sobie spokój.
RICHARD Dlaczego?

Richard podchodzi do Diane, spodziewając się sceny zazdrości.

DIANE (odsuwa się) Jestem też przyjaciółką Eliny i Rodiki. Mówię to ze względu na nie.
RICHARD Nie rozumiem.
DIANE (stanowczo) Nie chcę, żeby Elina wdała się z tobą w jakąś historię. Za dobrze cię znam. Miłość cię demoralizuje, Richard, mógłbyś w jej imieniu dokonywać wielkich czynów, a kończy się tylko na podłych.

Atmosfera robi się coraz bardziej naładowana elektrycznością.

Richard staje naprzeciw Diane i patrzy na nią z zakłopotaniem. Wyglądają, jakby się przygotowywali do mającego nastąpić za chwilę pojedynku.

RICHARD A więc zalecasz mi abstynencję?
DIANE Tak, zalecam ci abstynencję!
RICHARD (głucho) Uważaj, Diane, jeszcze trochę, a skończysz w klasztorze: nazbyt pociąga cię cnota. Nie zapominaj, że jesteś nadal młoda, piękna, i że masz jeszcze przed sobą wiele lat, żeby robić tysiące głupstw. Niepokoisz mnie. Czy to efekt naszego zerwania?
DIANE Kto wie?
RICHARD Albo może urządzamy sobie zawody? Które z nas po rozstaniu dłużej będzie czekać, zanim od nowa urządzi sobie życie? Kto będzie niewdzięcznikiem, co szybko zapomina, a kto tym dobrym, który nie może zapomnieć? Kto będzie nosił żałobę po naszej miłości? Które z nas jest lepsze od drugiego?
DIANE Boję się, że znam odpowiedź.

Richard wybucha śmiechem.

RICHARD Ty oczywiście.

Diane odpowiada z powagą.

DIANE Nie, ty.
RICHARD (zaskoczony) Ja?
DIANE Tak. Ty. (podchodzi do niego) Twoje zachcianki są proste, dziecinne, egoistyczne, jednym słowem są bardzo zdrowe. Nie masz w sobie nic perwersyjnego, nic pokrętnego. Szukasz tego, co sprawia ci przyjemność.
RICHARD A ty...
DIANE (gwałtownie) Ja? Nikt nie wie, do czego jestem zdolna.

Patrzy na nią przez chwilę, poruszony. Potem śmiejąc się, potrząsa głową.

RICHARD Co za aktorka! O mało ci nie uwierzyłem...

Z kolei Diane wybucha śmiechem.

DIANE Naprawdę?

Napięcie opada.

RICHARD Teraz bądźmy poważni i wróćmy do Eliny. Co powinienem zrobić?
DIANE Zapomnij o niej. Zapomnij o nich obu.

RICHARD (znużony ciągłymi niejasnościami) Mówisz to ze względu na nie, czy ze względu na siebie?
DIANE Ze względu na ciebie. Tracisz czas. Ubóstwo i nieszczęście wyniosły te kobiety na takie wyżyny cnoty, że stały się nieosiągalne. Nigdy nie dadzą ci się do siebie zbliżyć.
RICHARD Owszem.

Diane wstaje, wycieńczona.

DIANE Nawet o tym nie myśl, Richard.
RICHARD Owszem! Właśnie że mi się uda. Myślę, że się jej podobam. Będę ją miał!
DIANE Nawet o tym nie marz!
RICHARD Nie znasz mnie.
DIANE Znam cię...
RICHARD Kiedy pragnę kobiety, zdobywam ją!

Robi się nieprzyjemnie.

8.

MANSARDA

W mansardowym mieszkaniu z okienkiem w dachu Rodica i Elina jak dwie uczennice siedzą przed Diane, która czyta dokumenty.

ELINA Tym razem nie możemy odmówić.
RODICA Ja w każdym razie dłużej go nie będę powstrzymywać: otwieram klatkę.

Doczytawszy do końca ostatni paragraf, Diane zwraca im kartki.

DIANE Nie!
ELINA Jak to?
RODICA Ależ pani Pommeray, każdej z nas daje dom. Jeden na południu dla mnie. Drugi dla Eliny w Paryżu. Dwa domy! Ma pani w ręku akty

notarialne, wszystko jest jasne, nie ma żadnego oszustwa.

DIANE Odmówicie.

RODICA Nie możemy.

ELINA Nie, nie możemy.

RODICA (mruczy z niezadowoleniem) Nigdy dotąd nie proponowano nam tak dużo w zamian za tak mało.

DIANE Powiedziałam: nie!

RODICA Mnie to wystarczy.

DIANE Ale mnie nie.

ELINA Przecież pani go zabije. On chce się ze mną widywać. Chce mnie kochać. Potrzebuje tego. Nie rozumiem, co pani chce osiągnąć. O co nas pani błagała? Żeby zapewnić mu kilka miesięcy szczęścia, zanim zabije go rak. Te kilka miesięcy chcę mu dać jak najszybciej.

DIANE Jeszcze jest za wcześnie.

ELINA Jak to! Przecież jest chory.

DIANE Chcę, żeby zaangażował się bardziej.

ELINA Nie mamy czasu do stracenia.

DIANE Uspokójcie się. Macie dużo do stracenia, jeśli się zanadto pospieszycie. Dzisiaj każdej z was ofiarowuje dom, jeżeli powiecie tak. Wyobraźcie sobie, co zaproponuje wam jutro, jeśli jeszcze raz odmówicie.

RODICA Nic.

DIANE Owszem. Małżeństwo.

Obie kobiety milczą, oniemiałe.

DIANE Richard posiada ogromną fortunę i nie ma bezpośrednich spadkobierców. Gdyby Elina za niego wyszła, zarobiłaby na tym dobrych kilka milionów.
ELINA (szczerze) Ale ja nie chcę!
DIANE Niech pani nie będzie głupia! Woli pani, żeby te pieniądze trafiły w ręce jakichś dalekich kuzynów albo poszły na skarb państwa? Jeśli ma pani być przy nim przez ostatnie tygodnie życia, grając rolę kochanki i pielęgniarki w jednej osobie, należy się pani chyba jakieś wynagrodzenie?
RODICA To nie moja sprawa, Elina, ale pani Pommeray słusznie rozumuje. Zadanie będzie to samo, a zysk dużo większy.

Elina załamuje ręce.

ELINA Nie, chciałabym jak najszybciej odwzajemnić mu się odrobiną miłości i uwagi. Darujmy sobie ten pomysł z małżeństwem.
DIANE Macie być mi posłuszne.
ELINA Przykro mi, ale nie mogę.
DIANE Elino, jest pani tutaj tylko dzięki mojej dobrej woli i przysięgła pani mnie słuchać. Jeśli pani tego nie zrobi, wszystko mu powiem.

ELINA (gwałtownie) Nie!
DIANE Wszystko mu powiem.

Elina pochyla głowę, zmuszona ustąpić.

9.

DWA TELEFONY W NOCY

Noc. Dwie lampki oświetlają dwa telefony: Diane i Richarda.

Richard, w płaszczu, z walizką w ręku, wygląda posępnie i oddycha z trudem.

Diane, przeciwnie, wydaje się w świetnej formie.

Słychać odgłosy ulewy.

RICHARD Wyjeżdżam. Opuszczam Francję.
DIANE Gdzie jedziesz?
RICHARD Kupiłem bilet na koniec świata.
DIANE Mogę zapytać dlaczego?
RICHARD Wolałbym ci nie odpowiadać.
DIANE Ach... z powodu Eliny?
RICHARD Nie chcę o tym mówić.
DIANE Gdzie jest ten koniec świata?
RICHARD Pustkowia Ahaggaru. W Algierii.

DIANE Nie myślisz, że to trochę daleko jak na zwykły zawód miłosny?
RICHARD Informuję cię tylko, nie komentuję.
DIANE Dobrze.
RICHARD Do widzenia, Diane.
DIANE Do widzenia, Richard. Uważaj na siebie. Bardzo na siebie uważaj. I zadzwoń, kiedy będziesz wracał: wyjdę po ciebie na lotnisko.
RICHARD Nie trzeba.
DIANE Owszem, zależy mi na tym. Przyrzekasz?
RICHARD Przyrzekam.

10.

U DIANE

Na dworze jest ciemno.

W mieszkaniu Diane przyćmione światło.

Usłyszawszy dzwonek do drzwi, Diane wpuszcza Rodikę. Nie wygląda na zachwyconą jej widokiem, przyjmuje ją niechętnie.

DIANE Nie znoszę takich niespodziewanych wizyt. Wie pani, że nie życzę sobie, żebyście tutaj przychodziły.
RODICA Elina grozi, że wyskoczy z okna, jeśli nie przyniosę jej wiadomości o Richardzie.
DIANE Nie powinna pani ulegać szantażom Eliny.
RODICA Chciałabym panią widzieć na moim miejscu... Od trzech tygodni nic tylko płacze. (zmienia ton) Gdzie jest Richard?

DIANE Już pani mówiłam. W Afryce.
RODICA Kiedy wraca?
DIANE Dziś wieczór. Przed chwilą dzwonił do mnie z lotniska.
RODICA Nareszcie!
DIANE Za chwilę tu będzie. Nie chcę, żeby panią zobaczył.
RODICA W takim mieszkaniu jak to jest chyba jakieś wejście dla służby?
DIANE Tak, dlaczego?
RODICA Kiedy zadzwoni do drzwi, ulotnię się.

Nie czekając na odpowiedź, Rodica siada w fotelu i zakłada nogę na nogę.

RODICA A teraz skończmy te ceregiele. Chcę wiedzieć, o co w tym wszystkim chodzi. (spogląda przenikliwie na Diane) Kim pani jest? Co pani robi?
DIANE Robię to, co uważam za stosowne.
RODICA Właśnie, a co konkretnie?
DIANE Ratuję dwie kobiety przed prostytucją i upiększam życie mężczyzny, który ma wkrótce umrzeć.
RODICA Nie mogę uwierzyć.
DIANE To brzmi dla pani zbyt pięknie?
RODICA Wierzę tylko w występek, wyrachowanie, interes, w drobne przyjemności, w zło, które po-

prawia samopoczucie. Przez całe życie nie spotkałam się z niczym innym. Znam tylko brzydotę.
DIANE A uroda Eliny?
RODICA To też nic dobrego. Ta uroda przynosi jej pecha, to jej przekleństwo.
DIANE Współczuję pani, Rodiko.
RODICA Nie znoszę, kiedy ktoś mi współczuje.
DIANE Tego też pani współczuję.

Rodica, wściekła, podchodzi do Diane i chwyta ją za ramię.

RODICA Niech pani przestanie kłamać: dlaczego pani to robi? Ratuje nas przed prostytucją! Przedstawia nam Richarda! Rozgrzewa go, oziębia! Gra na zwłokę! Dlaczego?
DIANE Rodiko, jest pani tak przyzwyczajona znosić przeciwności losu, że nie wierzy pani w dobre intencje ludzi.
RODICA W każdym razie nie pani. (pauza) Powiem pani, kim pani jest: jest pani złym człowiekiem.

Diane śmieje jej się w nos.
Rodica mówi dalej, bezlitosna.

RODICA Nie chce pani nam pomagać, tylko się nami posłużyć. Nie chce pani uszczęśliwić Richarda, ale go unieszczęśliwić.

DIANE (buńczucznie) Niby dlaczego?
RODICA Bo przestał panią kochać. Chce pani, żeby cierpiał. Mocno. I długo. Bardziej niż pani.
DIANE Trochę zbyt proste, nie?
RODICA Kiedy kobietę trzyma przy życiu czyjaś miłość, i nagle ta miłość zostaje jej odebrana, żeby nie umrzeć, musi zamienić to uczucie na inne, równie silne: nienawiść. Pani się mści.

Diane wzrusza ramionami.

RODICA Ma pani rację. Nienawiść jest dobra: gorąca, solidna, pewna. Nienawiść to nie to co miłość, nie można w nią wątpić. Nigdy. Nie znam nic pewniejszego niż nienawiść. To jedyne uczucie, na którym się człowiek nie zawiedzie.

Diane odwraca głowę.

RODICA Tak, tak. Zamiana miłości na nienawiść jest w sumie bardzo korzystna. Doskonale panią rozumiem. I wie pani co? Gotowam nawet panią polubić.
DIANE Ach tak?
RODICA Kobieta, która chce zemścić się na mężczyźnie... każda z nas to zrozumie. Pomogę pani. Za pani pośrednictwem zemszczę się na tych, których dotąd nie zdążyłam ukarać.

Diane uśmiecha się blado, jakby walczyła z mdłościami. Rodica chwyta ją za ramię.

RODICA A teraz niech mi pani powie prawdę. On nie umrze?
DIANE Owszem.
RODICA Nie! Mam oko, potrafię stwierdzić, czy ktoś jest chory. Wokół każdej osoby widzę światło, coś jakby aureolę: jeśli aura jest pełna, człowiek cieszy się dobrym zdrowiem; jeśli jest poszarpana, niedługo umrze.
DIANE (obojętnie) Bardzo ciekawe. Powinna pani otworzyć gabinet. Jest dość naiwnych, zbije pani na tym majątek.
RODICA (porywczo) Richard nie jest chory! Wcale tak szybko nie umrze!

Diane cofa się kilka kroków i patrzy na Rodikę z zainteresowaniem. Na jej ustach pojawia się uśmiech.

DIANE Niech się pani przyzna, Rodiko: czy pani się przypadkiem nie zakochała?
RODICA Słucham?
DIANE Czy nie zakochała się pani w Richardzie? Tak bardzo zależy pani na tym, żeby nie umarł. Kiedy tylko się o tym napomknie, reaguje pani, jakby to ją osobiście zraniono...

Rodica wstaje, gotowa rzucić się z furią na Diane.

Rozlega się dzwonek do drzwi.

DIANE To on. Niech pani znika.

Rodica waha się, po czym postanawia usłuchać. Diane wskazuje jej wyjście dla służby.

DIANE Tędy.
RODICA Ale...
DIANE Niech pani nie robi hałasu. Szybko!

Rodica znika.

Diane bierze głęboki oddech i idzie otworzyć Richardowi.

Richard wchodzi, posępny; rysy ma ściągnięte, oczy utkwione w jeden punkt.

RICHARD (uprzedza jej uwagę) Wiem, że nie wyglądam najlepiej.

Pada na fotel, wściekły.

DIANE Dobry wieczór.
RICHARD (nie patrząc na nią) Ach, tak: dobry wieczór.

Zaprzątnięty myślami Richard, niegdyś uosobienie galanterii, zapomniał o elementarnej grzeczności. Rozgorączkowany, wyrzuca z siebie:

RICHARD Co za piekielny babsztyl!
DIANE Elina?
RICHARD Nie, matka. To ona wciąż coś knuje i wszystko utrudnia! Chce, żebym czołgał się przed jej córką.
DIANE Obawiam się, że możesz dostać tę dziewczynę jedynie na warunkach, które niezbyt ci będą odpowiadały.
RICHARD Nie mogę wyrwać z serca tego uczucia.

Diane wzdraga się. Teraz rozumie, że Richard naprawdę zakochał się w Elinie. Richard uderza pięścią w ścianę.

RICHARD (porywczo) Nie mogę też wyrwać sobie z piersi serca.
DIANE Co zamierzasz zrobić?
RICHARD (błędny) Czasem nachodzi mnie chęć, żeby rzucić się pod pociąg, potem, żeby biec przed siebie, dopóki starczy mi sił. Chwilę później siły mnie opuszczają. Ogarnia mnie przygnębienie, w głowie mi się mąci, kompletnie głupieję.

Pauza. Podnosi głowę, patrzy wreszcie w oczy Diane i stwierdza z desperacją:

RICHARD Lepiej już ożenić się, niż tak cierpieć. Ożenię się.
DIANE Uważaj, to poważna sprawa. Powinieneś się zastanowić.
RICHARD Wiem tylko jedno: nie chcę być bardziej nieszczęśliwy, niż jestem teraz. Zrób mi przysługę: zobacz się z tą dziewczyną, zobacz się z jej matką i przekaż im moje intencje.

Richard nie podejrzewa, jakim szokiem dla Diane są jego słowa.

DIANE Co? Ja mam się za ciebie oświadczać?
RICHARD One mnie nie przyjmą.
DIANE Nie, radź sobie sam, nie podoba mi się rola, jaką mi wyznaczasz.

Richard chwyta Diane w objęcia i wykorzystuje swoją fizyczną przewagę, żeby przełamać jej opór.

RICHARD Diane, jeśli mnie opuścisz, jestem zgubiony. Jeśli ty nie zajrzysz do nich pierwsza, pójdę tam, wyważę drzwi, wedrę się do mieszkania i w stanie, w jakim jestem, nie wiem, do czego...

(z uczuciem) Błagam cię, Diane, w imię naszej przyjaźni.
DIANE Zgoda.

Richard w uniesieniu całuje ją po rękach.

DIANE (zakłopotana) Widzisz, jaka jestem dobra? Która inna kobieta tyle by dla ciebie zrobiła!
RICHARD Dzięki! Jesteś moją jedyną prawdziwą przyjaciółką. Kiedy się do nich wybierzesz?
DIANE Jutro.
RICHARD (błaga ją czule) Jutro? Jutro wieczorem? Jutro po południu?
DIANE (ustępuje) Jutro rano!
RICHARD Dziękuję, Diane, dziękuję. Ratujesz mi życie. Trochę się teraz prześpię. W każdym razie spróbuję.

Całuje ją i wychodzi.
Diane siedzi zmartwiona.
Po paru sekundach wchodzi pani Pommeray, majstrując coś przy bateriach swojego aparatu słuchowego.

PANI POMMERAY Ach, jesteś sama? Wydawało mi się, że słyszę głosy.

Zirytowana, puka w swój aparat.

PANI POMMERAY Mój lekarz twierdzi, że głuchnę, tymczasem jest wręcz przeciwnie: słyszę głosy, których nikt poza mną nie słyszy.

Diane nie reaguje.

PANI POMMERAY W starożytności był ktoś taki jak ja: Tyrezjasz, niewidomy jasnowidz. Jak myślisz, może wywieszę na drzwiach tabliczkę: „Pani Tyrezjasz, słucha ciszy, wychwytuje przebrzmiałe głosy, zgłębia zaginione dusze”? Dorobiłabym sobie do emerytury...

Zauważa, że jej córka, zatopiona w myślach, nie reaguje.

PANI POMMERAY Ty może nie jesteś głucha, za to w ogóle nie słuchasz. (macha rękami) A kuku, to ja, dobra wróżka Dzwoneczek!

Nie otrzymawszy odpowiedzi, klaszcze w dłonie. Diane odzyskuje poczucie rzeczywistości.

PANI POMMERAY Dziwnie wyglądasz. Masz taką ponurą minę.
DIANE Tak. Właśnie straciłam resztki szacunku, jaki miałam jeszcze dla miłości.

11.

MANSARDA

Rodica i Elina nerwowo chodzą po mieszkaniu. Umierają z niecierpliwości, toteż kiedy słyszą kroki Diane, obie rzucają się do drzwi.

ELINA Richard wrócił?
DIANE Tak.
ELINA W dobrym zdrowiu?
DIANE Nie, kiepsko wygląda.
ELINA O Boże...
DIANE Wydał mi się bardzo zmęczony. Bardzo... Choroba robi postępy...

Spogląda wymownie w stronę Rodiki, która spuszcza głowę, zawstydzona, że poprzedniego wieczoru podawała w wątpliwość chorobę Richarda.

ELINA Zapomniał o mnie?
DIANE Próbował. (pauza) Nie udało mu się.

Odwraca się i wyciąga ręce do Eliny.

DIANE Chce się z panią ożenić, Elino.

Elina wydaje okrzyk radości, podbiega do Diane i całuje ją z wdzięcznością.

Po chwili wahania Rodica podchodzi i speszona szepcze do Diane:

RODICA Przepraszam. Myliłam się. Na całej linii. Jak zwykle. Całe moje życie takie jest: nic, tylko pomyłki.

12.

POKÓJ DIANE

Słychać takty marsza weselnego.

Diane stoi przy oknie, przez które sączy się szare światło zmierzchu. W ręku trzyma szklaneczkę whisky - być może nie pierwszą - i smętnie pociąga łyk.

Zwabiona hałasem, pani Pommeray zagląda do pokoju, podchodzi z zaciekawieniem do głośników, myśli, że źle słyszy, poprawia swój aparat, po czym stwierdza, że słyszy to, co słyszy.

Diane podchodzi do niej.

PANI POMMERAY Dobrze mi się wydaje: słuchasz marsza weselnego?

DIANE Tak. To najkomiczniejsza muzyka, jaką znam.

PANI POMMERAY Nie mylisz z muzyką wojskową?

DIANE Nie.
PANI POMMERAY Wiesz, córeczko, że te akordy wydobywają się z organów, kiedy pan ubrany jak pingwin i pani przebrana za bezę idą w stronę ołtarza, gdzie zaraz połączy ich ksiądz?
DIANE Wiem.
PANI POMMERAY Ach! I uważasz, że to śmieszne?
DIANE To taka ironiczna melodyjka poprzedzająca każdą katastrofę.

Pani Pommeray wzrusza ramionami.

PANI POMMERAY Domyślam się, że znowu dałaś kosza Richardowi.
DIANE Dobrze się domyślasz.
PANI POMMERAY Moje biedactwo... A zresztą... Za dużo by gadać... wolę już nic nie mówić...
DIANE Idź się położyć, mamo.
PANI POMMERAY Powiedziałaś Richardowi, żeby przestał umawiać się z tobą u siebie w domu? W ogóle go ostatnio nie widuję. Jesteście bardzo samolubni. Brakuje mi go.
DIANE Tak, przekazałam mu twoją skargę. Prosi cię o wybaczenie.
PANI POMMERAY (osłupiała) Prosi mnie o wybaczenie? (wzdycha) Prosi mnie o wybaczenie... Ach, nie starzej się, córeczko, proszę cię, nie rób tego, co ja: nie starzej się.

Wychodzi.

Diane już ma wyłączyć muzykę weselną, kiedy rozlega się dzwonek telefonu.

DIANE Halo? Ach, Richard... Wszystko idzie dobrze? Wspaniale. Nie, nie nalegaj. Wiem, że oboje z Eliną chcielibyście, żebym z wami dzisiaj była, ale – tłumaczyłam ci już – nie czuję się na siłach znosić spojrzeń niektórych osób. Tych, którzy myślą, że chciałabym być na jej miejscu. Tak... Nie śmiej się. Niektórzy tak myślą. Ty wiesz, że tak nie jest, bo zawsze odrzucałam twoje oświadczyny... nie mam ochoty czuć na sobie tych spojrzeń pełnych politowania albo ironii, nieważne. No to życzę wam udanego ślubu. I mnóstwo szczęścia. Tak. Ucałuj ode mnie Elinę. Tak, ode mnie, to znaczy w policzki. Zgoda? No to na razie.

Odłożywszy słuchawkę, nastawia muzykę jeszcze głośniej i dolewa sobie whisky.

13.

U RICHARDA

Ten sam marsz weselny, ale w aranżacji rzewnej, pieszczotliwej, jazzującej.

Zjawia się Richard w szlafroku, szczęśliwy, rozczochrany, z błyszczącymi podpuchniętymi oczami, wyczerpany po długiej miłosnej nocy.

Jest dziesiąta rano.

Richard przygotowuje na tacy śniadanie dla Eliny; zaczyna od wstawienia do szklanki kwiatka.

Nagle słychać dzwonek do drzwi. Richard rzuca okiem na ekran monitora i stwierdza, że to Diane.

Zaskoczony, wciska jednak guzik domofonu.

W chwili, kiedy Diane wchodzi, Richard nadal zachowuje się jak zakochany mąż, szykujący śniadanie dla czekającej w łóżku żony.

Diane podchodzi do niego.

RICHARD Diane... nie spodziewałem się ciebie...
DIANE Przeszkadzam ci?
RICHARD (śmieje się) To ranek po mojej nocy poślubnej!
DIANE Wiem.
RICHARD O co chodzi?
DIANE O nic. Przyszłam zapytać, jak było.
RICHARD No wiesz... Po to przyszłaś?
DIANE Tak.
RICHARD Tylko i wyłącznie po to?
DIANE Tak.
RICHARD (osłupiały) Jesteś niesamowita... (odpowiadając na pytanie) Dobrze, bardzo dobrze. Wspaniale.

Skrępowany, Richard dalej zajmuje się tacą ze śniadaniem.

Diane siada na krawędzi krzesła.

DIANE Jaka była Elina?
RICHARD Diane!...
DIANE Nieśmiała? Zakochana? Zmysłowa? Powściągliwa?
RICHARD (wybucha śmiechem, żeby ukryć skrępowanie) Wszystkiego po trochu. (opanowuje się) Wybacz, ale to moje prywatne życie...

Na dźwięk tych słów Diane przebiega dreszcz.

RICHARD To... to sprawa intymna... twoja ciekawość wprawia mnie w zakłopotanie.
DIANE (brutalnie) Krwawiła?
RICHARD (zaszokowany) Słucham?
DIANE Doskonale mnie usłyszałeś, Richard, pytam cię, czy na prześcieradle była krew?
RICHARD No... (zażenowany)... tak, oczywiście.

Przerywa wykonywane czynności i wypija szklankę wody, żeby ochłonąć po tym dziwnym przesłuchaniu.

Po wypiciu wody czuje się już przebudzony i spogląda na nią z niepokojem.

DIANE W gruncie rzeczy to dobrze.
RICHARD Diane, ty chyba oszalałaś.
DIANE Nie, sprawdzam tylko, czy Elina zachowuje się profesjonalnie.
RICHARD Co mówisz?
DIANE Stwierdzam, że jest sprytna i świetnie sobie radzi.
RICHARD Diane, to wcale nie jest zabawne!
DIANE Domyślam się. Dlatego tutaj jestem.
RICHARD O czym ty mówisz?
DIANE Mówię o dawnym zawodzie twojej żony.

Wyciąga z torby teczkę i podaje mu.

DIANE Chciałabym, żebyś to przeczytał.
RICHARD Co to jest?
DIANE Jej teczka. Sporządzona przez kogoś z mojego gabinetu. Wynika z niej jasno, że zanim cię poznała, Elina była prostytutką.
RICHARD Słucham?
DIANE Przeczytaj.

Wciska mu w ręce dokument. Richard nie chce go przyjąć.

RICHARD Nie.
DIANE Masz tutaj wszystkie dowody.

Otwiera teczkę i pokazuje mu jej zawartość, wymieniając poszczególne elementy.

DIANE Zdjęcia. Wielokrotnie zatrzymywano ją za nagabywanie przechodniów. Jest też kilka mandatów. Słowem: profesjonalistka.
RICHARD Nie, nie!

Drżącymi rękoma odpycha od siebie teczkę, wstrząśnięty.

RICHARD Nie... nie mogę w to uwierzyć.
DIANE (poprawia go) Nie chcesz w to uwierzyć. Jednak te dokumenty nie pozostawiają żadnych

wątpliwości. Przekazano mi je dzisiaj rano. Za późno.

Richard sięga po kartki, odsuwa je, znów bierze do ręki, po czym nagle osuwa się na kolana, jęcząc.

RICHARD Co ja zrobiłem? Mój Boże, co ja zrobiłem?

Diane patrzy na niego z satysfakcją. Przez chwilę Richard nie może wydobyć głosu.

RICHARD Jak mogłem się tego nie domyśleć? Jak mogłem posunąć się tak daleko?
DIANE Zaślepienie.
RICHARD To największy błąd w moim życiu.
DIANE (ostro) Nie sądzę.

Richard podnosi ku niej wzrok, zbity z tropu.

DIANE Największym błędem było to, że mnie porzuciłeś.
RICHARD Masz rację... bez tego nic by się nie stało.
DIANE Właśnie: nic by się nie stało. (wstaje i mierzy go wzrokiem) Gdybyś mnie nie porzucił, nie musiałabym wynajdywać tej dziwki, urządzać jej w jednym z moich mieszkań i wymyślać historii

o ubogiej studentce strzeżonej przez dumną, zrujnowaną matkę. Co za żałosna farsa!

Wyciąga z torby drugą teczkę.

DIANE Proszę, oto teczka Rodiki. To też kurwa. I taka z niej matka Eliny, jak ze mnie matka papieża.

Ciska w niego teczką. Richard bąka coś niewyraźnie, niczego już nie rozumie... Diane traci panowanie nad sobą i wykrzykuje mu w twarz całą wściekłość, która wzbierała w niej od kilku miesięcy.

DIANE Pewnego dnia oznajmiłeś, że mnie już nie kochasz. Domyślałam się tego, wyobraź sobie, albo raczej się tego obawiałam. Jednak, żeby zachować twarz, udałam, że podobnie jak ty ja też odczuwam wyraźny spadek uczuć. Wtedy z ulgą zaproponowałeś mi przyjaźń. Przyjaźń! Nie potrzebowałam twojej przyjaźni! Chciałam mieć twoją miłość albo nic. A więc postanowiłam się zemścić. (z wściekłością) To ja! To ja zorganizowałam całą tę maskaradę, w którą, muszę ci to przyznać, ochoczo dałeś się wciągnąć. Mogłabym to przed tobą ukryć, ale fakt, że ci to mówię, sprawia mi najwyższą rozkosz.

RICHARD Dlaczego? Dlaczego?
DIANE Bo cię nienawidzę.

Richard wstaje. On też jest rozjuszony. Mamy wrażenie, że zaraz ją uderzy.

Stoją naprzeciw siebie, mierzą się wzrokiem, Diane stawia mu czoło.

RICHARD Ja też cię nienawidzę.
DIANE Nareszcie!

Richard wciąż ma ochotę ją uderzyć, ale się powstrzymuje.

Napięcie między nimi jest nie do zniesienia.

RICHARD Źle się czuję z tą nienawiścią.
DIANE Ja też nie cierpię siebie za to, że cię nienawidzę, ale to silniejsze ode mnie. Więc przedsięwzięłam środki...
RICHARD (z bólem) Diane, ty jesteś łajdaczką!
DIANE Przez kogo stałam się podła?

Zmierza energicznie ku wyjściu, po czym zatrzymuje się w progu.

DIANE Nienawidź mnie, Richard. Nienawidź mnie z całej siły. Witaj w krainie oszukanych. Czekałam tu na ciebie od miesięcy. Cieszę się, że przybywasz.

Mam nadzieję, że będziesz cierpiał przynajmniej tak samo jak ja, a może nawet bardziej.

Znika.

Richard jest kompletnie ogłupiały.

Po kilku sekundach do pokoju wchodzi Elina, w koszuli nocnej, radosna, jedwabista, zakochana.

ELINA Richard... już wstałeś...

Richard nie odpowiada.

Elina podchodzi bliżej.

ELINA Z kim rozmawiałeś, kochanie?

Chce się do niego przytulić.

Richard, o dziwo, pozwala jej podejść.

Chwyta ją w ramiona i mocno całuje w usta. To długi, namiętny pocałunek. Pocałunek, który zaskakuje Elinę.

Potem Richard delikatnie ją od siebie odpycha.

RICHARD To był ostatni raz.

Elina znów chce się do niego przytulić. Richard nie dopuszcza jej do siebie.

ELINA Richard...
RICHARD (łamiącym się głosem) Między nami wszystko skończone.

Robi kilka bezładnych kroków po pokoju. Kiedy tylko Elina próbuje się do niego zbliżyć, daje jej znak, żeby się cofnęła.

ELINA Richard, co się dzieje?

Richard potrząsa glową, niezdolny odpowiedzieć.

ELINA Już ci się nie podobam?
RICHARD (ze łzami w oczach) Podobasz mi się...
ELINA Coś było nie tak dziś w nocy?
RICHARD (jeszcze bardziej zgnębiony) Nie...

Elina podchodzi bliżej. Richard unika jej, jakby go przerażała.

ELINA Co ja zrobiłam?
RICHARD Ty... ja...

Zatacza koło spojrzeniem i kończy niepewnym głosem:

RICHARD To nie ty się wyprowadzisz, tylko ja.

ELINA Richard...
RICHARD Tak, zachowasz to mieszkanie. Nigdy go nie lubiłem, ale od ostatniej nocy będę je dobrze wspominał.

Richard drży. Łzy napływają mu do oczu. Jest jak dziecko, któremu wyrządzono wielką krzywdę: kocha Elinę, jednak musi odejść.

RICHARD Żegnaj, Elino. Niedługo dostaniesz papiery rozwodowe.
ELINA Richard! Richard!

Chce do niego podbiec, ale Richard ją zatrzymuje. Drżącą ręką wskazuje porozrzucane na podłodze papiery.

Elina dostrzega przyniesione przez Diane dokumenty. Jeden rzut oka wystarcza, żeby zrozumiała.

Osuwa się na ziemię i wydaje okrzyk rozpaczy:

ELINA Nie!

14.

POKÓJ DIANE

Diane, zwinięta na kanapie, jednym uchem słucha muzyki.

Wchodzi jej matka, zdenerwowana, jak ktoś, kto od dłuższego czasu nie wie, co ze sobą zrobić.

PANI POMMERAY Skończyły mi się krzyżówki.

Diane podaje jej kilka gazet, które odłożyła przy łóżku.

DIANE Masz, pomyślałam o tym.

Pani Pommeray bierze gazety, po czym wściekła ciska je daleko od siebie.

PANI POMMERAY Mam już dość krzyżówek.

Diane zauważa rozkojarzenie matki.

DIANE Mamo, co się dzieje?
PANI POMMERAY Dlaczego Richard przestał przychodzić?
DIANE Mówiłam ci już sto razy: od dwóch miesięcy jest w Afryce.
PANI POMMERAY Kłamiesz!
DIANE Mamo!
PANI POMMERAY Kłamiesz! Gdyby wyjeżdżał, wcześniej przyszedłby mnie ucałować.
DIANE Prosił, żebym ci powiedziała. Też ci to już ze sto razy mówiłam.
PANI POMMERAY Kłamiesz!
DIANE Mamo!
PANI POMMERAY Kłamiesz!
DIANE (poruszona) Mamo, zabraniam ci tak do mnie mówić.
PANI POMMERAY Czuję, że Richardowi stało się coś złego. A ty to przede mną ukrywasz. Powiedz mi prawdę, Diane, powiedz mi prawdę.
DIANE No dobrze. (pauza) Rozstaliśmy się.
PANI POMMERAY Rozstaliście się? Coś ty mu zrobiła? Coś ty mu powiedziała?
DIANE Mamo... to wyszło od niego, nie ode mnie.
PANI POMMERAY Ttt, tt, jeżeli odszedł, to znaczy, żeś go odepchnęła. Znam cię, córuniu, nie potrafisz zatrzymać przy sobie mężczyzny, jesteś

zbyt dumna, zbyt zarozumiała. Wiesz, że lepiej by było, gdybyś była brzydka, przynajmniej można by zrozumieć, dlaczego od ciebie odchodzą.

DIANE Przestań mi wyrzucać mój stosunek do mężczyzn! Mężczyźni! Mężczyźni! Są w życiu jeszcze inne rzeczy!

PANI POMMERAY A, widzisz, to twoja wina, sama to przyznajesz!

DIANE Tak, nie mam ochoty krygować się przed mężczyznami, trzepotać rzęsami, przynosić im kapci, wysłuchiwać ich kłamstw, znosić ich kaprysów. Dzięki swojemu zawodowi mogłam zająć się ważniejszymi sprawami i myślę, że poprzez decyzje, które sama podjęłam lub sprawiłam, by je podjęto, uszczęśliwiłam setki i mężczyzn, i kobiet!

PANI POMMERAY Setki na pewno, a może nawet tysiące, nie wątpię w to ani przez chwilę, bo jesteś ważną osobistością. Ale co z twoją matką, Diane? Co z twoją własną matką? Czy ją także uszczęśliwiłaś?

DIANE (ze łzami w oczach) Mamo...

PANI POMMERAY Co będzie ze mną, tak, co będzie ze mną, czy ta myśl przeszła ci przez głowę, kiedy się rozstawałaś z Richardem?

DIANE Ale mamo...

PANI POMMERAY Ja kochałam Richarda. Miałam do niego słabość. Och, niczego ci nie odbierałam, korzystałam tylko z jego obecności. Bez mężczyzny, bez przystojnego mężczyzny w zasięgu wzroku, usycham, marnieję, tracę ochotę do życia. Kiedy pojawił się Richard, przestałam myśleć o śmierci. To idiotyczne. Ale tak jest. Nie mam tak tęgiej głowy jak ty, nie jestem intelektualistką. Jestem tylko małą kobietką, która ma staroświeckie poglądy i ptasi móżdżek. Bez mężczyzny po prostu więdnę. A ty mi odbierasz Richarda!

DIANE Mamo, jesteś potworna! Przecież nie mogłam trzymać Richarda dla ciebie.

PANI POMMERAY Masz rację: nie mogłaś trzymać Richarda dla mnie. Ale boli mnie, że w ogóle o mnie nie pomyślał, bo przecież zrywając z tobą, odchodził także ode mnie, boli mnie, że nie brakuje mu moich żartów, mojego przygadywania, moich uśmiechów. Dziękuję ci, moja droga, naprawdę ci dziękuję: właśnie mi potwierdziłaś to, o czym nie śmiałam myśleć – jestem wstrętną, starą wariatką, która nie jest już nikomu potrzebna. Od tej chwili mam co najmniej sto lat! I do końca pozostanę sama! Wszystkiego najlepszego!

DIANE Mamo... masz przecież mnie. I ja ciebie kocham...

PANI POMMERAY (nie słuchając) Dlaczego urodziłam dziewczynkę, a nie chłopca? Ach, gdyby można było wybierać...

DIANE Mamo!

PANI POMMERAY Tak chciałam, żeby z mojego brzucha wyszedł chłopiec. Z penisem, jądrami i wielkimi stopami. Z mojego brzucha! Byłabym taka szczęśliwa... tymczasem urodziłaś się ty. Co za żałość! Fakt, jesteś trochę nieudanym chłopcem, masz w sobie coś z chłopca: wojowniczość, umiejętność walki, ambicje zawodowe, niezależność, brak serca... Wady! Nic tylko wady. Żadnych zalet.
DIANE Mamo, zdajesz sobie sprawę, co mówisz?
PANI POMMERAY Cicho bądź! Jesteś dziewczyną! Dziewczyną! I nie dajesz mi ani narzeczonych, ani kochanków, ani zięciów. Ani nawet wnuków! Nie mam z ciebie żadnego pożytku!

Wychodzi, pozostawiając Diane załamaną.

15.

ULICA

Rodica chodzi tam i z powrotem.

Nagle, w płaszczu narzuconym na ramiona, wychodzi z domu Richard i wpada na czekającą na niego Rodikę.

Widząc ją, zatrzymuje się.

RICHARD Jak pani śmie?
RODICA Pan mnie nienawidzi? I słusznie. Ja też, gdyby zrobiono mi to, co panu, miałabym ochotę rozkwasić panu ryj.
RICHARD A więc się zgadzamy.

Chce już iść, ale Rodica zastępuje mu drogę.

RODICA Muszę panu coś powiedzieć. Coś bardzo ważnego.

Richard gestem nakazuje, żeby go przepuściła.

RICHARD! Żegnam panią.
RODICA Proszę. To jeszcze ważniejsze dla pana niż dla mnie.
RICHARD Żegnam.
RODICA Na litość boską, niech pan spróbuje zrozumieć, skoro przychodzę do pana, to chyba mam jakiś ważny powód. Nie jestem masochistką.
RICHARD (sceptycznie) Przy pani zawodzie...
RODICA Nie przeczę, że jestem kurwą, nie przeczę, że łgałam panu od samego początku, ale robiłam to nie bez powodu: proszono mnie o to.
RICHARD Wiem o wszystkim. Żegnam panią.

Rodica rzuca się, żeby go zatrzymać.

RODICA (gwałtownie) To ma pan tego raka czy nie?
RICHARD Słucham?
RODICA Pytam, czy ma pan raka?

Richard jest zdumiony.

RICHARD Ależ nie!

Wykorzystując zaskoczenie Richarda, Rodica próbuje powiedzieć coś więcej.

RODICA Niech mnie pan posłucha: Elina zgodziła się na tę komedię, bo pani Pommeray wmówiła nam, że pozostało panu tylko kilka miesięcy życia. Elina miała dać panu kilka tygodni szczęścia, zanim pan umrze. I tak się tym przejęła, że się w panu zakochała.
RICHARD Co to zmienia?
RODICA Wszystko.
RICHARD Nic. Jest oszustką.
RODICA To nie miało znaczenia, ponieważ miał pan umrzeć. Pani Pommeray nas o tym zapewniła. Nawet czułyśmy się z tego powodu trochę lepsze.
RICHARD Dlaczego pani mi to mówi? Pani, a nie Elina?
RODICA Bo przysięgła, że będzie milczeć. Woli, żeby pan nią gardził, nie chce, żeby dowiedział się pan, że jest chory.
RICHARD Ale ja wcale nie jestem chory!
RODICA Naprawdę?
RICHARD Oczywiście! Jestem tego pewien.
RODICA Ja też tak myślę: nie jest pan chory.
RICHARD Jasne, że nie! (zdjęty wątpliwościami) To znaczy, tak sądzę... mam nadzieję...

Ogarnia go nagły niepokój, oddycha ciężko i z trudem mówi, dotykając rękami krzyża:

RICHARD Nie jestem chory... To znaczy... nie aż tak...
RODICA Właśnie. Ja też tak myślę: nie umrze pan...
RICHARD Ja miałbym umrzeć?

Jakby udzielił się jej niepokój Richarda, Rodica wraca myślami wstecz.

RODICA Robił pan tomografię i różne badania kilka miesięcy temu?
RICHARD Tak. Ale wynik był negatywny... Nie mam raka.
RODICA To dlaczego ma pan te bóle krzyża?
RICHARD To okresowe bóle. Skolioza z czasów dzieciństwa. Nic nowego.
RODICA (nieprzekonana, udaje, że mu wierzy) Skoro tak...

Richard wpada w panikę.

RICHARD Przecież by mi powiedziano. No nie?
RODICA Niekoniecznie.
RICHARD Na pewno... Powiedzieliby mi... Lekarze... Diane... Nie można tak człowieka okłamywać.
RODICA (sceptycznie) Hmm!

Richard dotyka bolących pleców.

RICHARD Jestem zdrowy... (powtarza, żeby sam siebie przekonać) ... jestem zdrowy... nie jestem chory... jestem zdrowy.

W rzeczywistości poci się ze strachu.

16.

PARK

Elina czeka na ławce w zielonym, ukwieconym parku rozbrzmiewającym krzykami dzieci.

Zjawia się Richard.

Wzruszeni, że znowu się widzą, zerkają na siebie skrępowani, w pewnej odległości od siebie.

RICHARD Co u ciebie słychać?
ELINA Pracuję w piekarni.

Pauza.

Elina ledwo śmie na niego patrzeć.

ELINA A ty? Wyjeżdżałeś...
RICHARD Tak. Właśnie wróciłem. Byłem w Afryce.
ELINA W Afryce? Znowu? Nie zmęczyło cię to za bardzo?

RICHARD Nie. Wypocząłem.
ELINA Dobrze się czujesz?
RICHARD Fizycznie?
ELINA Tak.
RICHARD Dobrze.

Elina skrzętnie przyjmuje tę informację.

ELINA A twój krzyż?
RICHARD Elino, wypytujesz mnie o zdrowie, jakbyś była pielęgniarką. Uważasz, że jestem chory?
ELINA Nie, skądże. Przepraszam.

Richard patrzy na nią wdzięczny za troskliwość, która popycha ją do kłamstwa.

RICHARD Wiesz, dlaczego chciałem się z tobą zobaczyć?
ELINA (z drżeniem) Nie.
RICHARD Bo dotąd jeszcze nie wysłuchałem twoich wyjaśnień.

Elina zmienia się na twarzy.

RICHARD (łagodnie) Jak usprawiedliwiasz się przed sobą? Bo domyślam się, że nie czujesz się winna.
ELINA Owszem.
RICHARD Nie.

ELINA Owszem.
RICHARD Człowiek jest tak cudownie skonstruowany, że zawsze zrzuca winę na innych. Albo przynajmniej wynajduje sobie okoliczności łagodzące.
ELINA Nie ja.
RICHARD Elino, chciałbym dowiedzieć się, jak ty widzisz naszą historię.

Elina spogląda na niego z niepokojem i blefuje.

ELINA Tak samo jak ty!
RICHARD (łagodnie) Kłamiesz.

Elina spuszcza głowę, nie przecząc.

RICHARD Uważasz, że mnie oszukałaś?
ELINA Byłam szczera. Przez cały czas. Miałam wprawdzie udawać, ale naprawdę się w tobie zakochałam. I chciałam, żebyś był szczęśliwy, Richard, chciałam tego z całego serca. Zdarzały się nawet chwile, kiedy zapominałam, kim wcześniej byłam. (zwraca się do niego) Nie miałam do tego prawa, wiem. I moim błędem było, że to przed tobą ukryłam. Ale poza tym byłam szczera. Och, gdybyś mógł mi uwierzyć...
RICHARD Jednak musiałaś się spodziewać, że któregoś dnia prawda wyjdzie na jaw? (Elina nie odpowiada) Nie?

ELINA Ukrywałabym ją przed tobą możliwie jak najdłużej.
RICHARD Dopóki nie umrę?
ELINA (poprawia go zalękniona) Dopóki ja nie umrę!

Richard spogląda na nią. Elina unika jego wzroku. Rozczulony nieporadnym kłamstwem dziewczyny, Richard odpręża się.

RICHARD Elino, mam ci do powiedzenia dwie rzeczy.

Elina opuszcza oczy.

RICHARD Pierwsza, to że poznałem sekret dotyczący mojego... stanu zdrowia.

Elina nie może ukryć przerażenia.

ELINA Jak to? Już wiesz?

Richard kiwa twierdząco głową.

ELINA Jak się dowiedziałeś? Bo masz bóle?... Bardzo cierpisz?
RICHARD Rodica mi powiedziała.
ELINA Idiotka! Jak mogła? Nie miała prawa!

Richard bierze oddech i oświadcza spokojnie.

RICHARD Elino, zrobiłem jeszcze raz badania. Upewniłem się: jestem zdrowy. Oto wyniki.

Elina przegląda papiery.

RICHARD Jak widzisz, nie mam raka.
ELINA Ale... jesteś pewien, że to wszystko? Że czegoś... przed tobą nie ukrywają?
RICHARD Przeczytaj, to diagnoza podpisana przez profesora Martina, największą sławę w Paryżu. Pisze, że nie stwierdza u mnie żadnych niepokojących zmian.

Elina bierze kartkę, czyta i, nie panując nad sobą, całuje ją i przyciska do serca.

Richard jest poruszony tym spontanicznym gestem.

RICHARD Elina, ty... mnie naprawdę kochasz?

Podchodzi do niej i bierze w ramiona. Elina drży na całym ciele.

Całują się.

17.

BAR W DUŻYM HOTELU

Diane siedzi przy stoliku w dyskretnej salce eleganckiego baru. Pociąga z kieliszka łyk wina i spogląda na zegarek.

Zjawia się Richard i podchodzi do niej szybkim krokiem.

DIANE (sarkastycznie) Co za punktualność!

RICHARD Nie miałem wyjścia. Nie jestem pewien, czy byś na mnie czekała.

DIANE Faktycznie.

RICHARD Dziękuję, że zgodziłaś się na to spotkanie.

DIANE Wciąż jeszcze się zastanawiam, dlaczego przyszłam...

RICHARD Ciekawość?

Diane patrzy na niego bez życzliwości.

DIANE Biedny Richard...

Jej ton nie uraża go, a wręcz rozśmiesza.
Pauza.

RICHARD Już wiesz...?
DIANE Że znowu żyjesz ze swoją żoną? Wszyscy wiedzą. Cały Paryż o tym mówi. Ludzie się z ciebie śmieją.
RICHARD Ach tak?
DIANE Śmieją się, że upadłeś tak nisko.
RICHARD To było do przewidzenia. Po tobie spada się z dużej wysokości.

Wymieniają cierpkie uśmiechy.

RICHARD A czy cały Paryż wie także o roli, jaką odegrałaś w tej historii?
DIANE (spięta) Dowie się, jeśli o niej powiesz.
RICHARD Bądź spokojna. Wystarczy, że wiedzą, że ożeniłem się z dawną kurwą. Po co mają wiedzieć, że wcześniej miałem związek z potworem.
DIANE (z wyzywającym uśmiechem) Ciekawe, czy by ci uwierzono?
RICHARD Chcesz, żebym spróbował?

Diane patrzy na niego hardo.

Richard oznajmia, prawie radośnie:

RICHARD Myślę, że to sobie daruję.

DIANE Czemu zawdzięczam taką łaskawość?

RICHARD Jak miewa się twoja matka?

DIANE Doskonale. Jaki to ma związek?

RICHARD To jest odpowiedź.

DIANE Odpowiedź na co?

RICHARD Na twoje pytanie: czemu zawdzięczam taką łaskawość? Odpowiadam: jak miewa się twoja matka?

DIANE Oszczędzasz mnie z uwagi na nią?

RICHARD Właśnie.

DIANE Byłaby zachwycona, gdyby się o tym dowiedziała.

RICHARD Tylko że ty jej tego nie powiesz.

Diane chłodno potwierdza. Jej postawa zdaje się bawić Richarda. Z nich dwojga to on ma przewagę.

Pauza.

DIANE Co my tutaj robimy?

RICHARD Chcę zdradzić ci pewien drobiazg.

DIANE Drobiazg?

RICHARD Drobiazg.

DIANE Słucham.

RICHARD Pamiętasz ten dzień, w którym mi oznajmiłaś, że coś się między nami zmieniło, kiedy powiedziałaś, że już nie potrzebujesz mnie tak jak dawniej, że nie czekasz już na mnie tak niecierpliwie, że ziewasz, że wolisz sypiać sama.
DIANE Oczywiście.
RICHARD Więc może pamiętasz też, że przez dłuższy czas się nie odzywałem?
DIANE Tak?
RICHARD To cię nie zastanowiło? Nie odzywałem się, bo ja ze swej strony nic takiego nie zauważyłem. Ani u ciebie, ani u mnie. Ochłodzenie? Też pomysł! Dla mnie to była wiosna, lato, wszystko układało się między nami jak najlepiej. I nagle, na moich oczach, zaczęłaś rujnować nasz związek, nasze szczęście, to, co wydawało mi się naszą wielką miłością... Starannie, z uporem, bez chwili wytchnienia wszystko obracałaś w gruzy, zniekształcałaś, zabijałaś. O mało nie zemdlałem. I wtedy postanowiłem skłamać.
DIANE Co?
RICHARD Skłamałem, Diane. Powiedziałem ci, że ja też nie kocham cię już tak jak dawniej. To była nieprawda.
DIANE To była prawda.
RICHARD Nie.
DIANE Tak!
RICHARD Nie.

DIANE Dlaczego miałbyś kłamać?
RICHARD Z pychy.
DIANE (nie chce mu wierzyć, przyjmuje to wyznanie z ironią) Ha, ha! Bardzo zabawny scenariusz.
RICHARD To jeszcze nie wszystko, Diane. Po kilku tygodniach przyszedłem do ciebie, żeby się pogodzić, chciałem namówić cię, żebyśmy wyjechali razem na wakacje, zaczęli wszystko od początku, zapomnieli o tym chwilowym kryzysie, który może zdarzyć się w każdym związku...
DIANE Żartujesz sobie ze mnie?
RICHARD Tego dnia nie dość, że przyszłaś bardzo późno, to jeszcze przedstawiłaś mi Elinę. (Diane wzdraga się) Przedstawiłaś? Co ja mówię? Rzuciłaś mnie w jej ramiona.
DIANE (uświadamia sobie, co zrobiła) Nie...
RICHARD Zresztą nie kryję – spodobała mi się, od razu mi się spodobała. Jednak nie uczepiłbym się jej, gdyby... Nie wiem, jak przebiegały nasze rozmowy, kiedy cię odwiedzałem, ale po każdym spotkaniu wychodziłem kompletnie skołowany, z coraz większym pragnieniem, żeby ją zdobyć...
DIANE Ty... ty... ty wciąż mnie kochałeś?
RICHARD Tak, Diane.
DIANE A teraz?
RICHARD Teraz kocham Elinę, a Elina kocha mnie. I nasza miłość jest prosta.

Diane, bardzo blada, mówi łamiącym się głosem:

DIANE Co ja zrobiłam, mój Boże, co ja zrobiłam?

Kurczowo chwyta Richarda.

DIANE Richard, bardzo cię proszę. Teraz, kiedy to wszystko wiemy, cofnijmy się do punktu wyjścia.
RICHARD Za późno. W normalnym świecie nie można nacisnąć klawisza „nowa gra".
DIANE Owszem, można! Skoro teraz wiemy, jak było w rzeczywistości.
RICHARD Nie. Rzeczywistość na tym właśnie polega, że nie można się cofnąć i zacząć grać od nowa.

Richard wstaje.
Diane niezdarnie biegnie za nim, dogania go.

DIANE Richard, a gdybym się zniżyła do tego...
RICHARD Tak?
DIANE... by prosić cię... żebyś wrócił?
RICHARD (zaszokowany) Gdybyś się zniżyła?

Ściska jej nadgarstki.

RICHARD Gdybyś się zniżyła? Nie rozumiesz, że właśnie przez to rozpadł się nasz związek?

DIANE Przez moją pychę, prawda? Mam w sobie za dużo pychy.
RICHARD (łagodnie) Pycha jest zaraźliwa. Jeśli jedna ze stron ją okazuje, druga natychmiast się zaraża.
DIANE To moja wina.
RICHARD I znów twoja pycha. (pauza) To nasza wina.

Podprowadza ją do kanapy i pomaga jej usiąść.

RICHARD Żegnaj, Diane. Ucałuj ode mnie matkę.

Diane schyla głowę, pokonana; wygląda jak marionetka, którą odłożono na półkę.

DIANE Richard, zdajesz sobie sprawę, że po tym wszystkim pozostaje mi tylko... umrzeć?

Richard waha się, nie znajduje żadnej odpowiedzi i wychodzi z baru.

18.

KAPLICA POGRZEBOWA

Sień kaplicy pogrzebowej.

Kilka stojących tu i ówdzie krzeseł.

Wewnątrz kaplicy – jak można się domyślić – spoczywa w trumnie ciało. Przez drzwi dochodzi zapach kadzidła i cicha muzyka fisharmonii.

Z oddali dobiega ledwie słyszalny dźwięk dzwonów kościelnych, obwieszczających pogrzeb.

Zjawia się Rodica, w czerni, nienaturalna, niewiedząca, jak się zachować. Nie śmie wejść sama do kaplicy, woli stać w progu, nerwowo drepcząc w miejscu.

Następnie wchodzi Richard. Jego twarz nosi ślady szczerego i głębokiego smutku.

Widząc jego minę, Rodica nie może się powstrzymać i przypada do niego, serdecznie chwytając go za ręce.

Richard nie protestuje, jakby istniała między nimi prawdziwa bliskość. Rodica klepie go po ramieniu, zerkając ukradkowo wokół siebie.

RODICA Ale mam chandrę!

Richard patrzy na nią dobrotliwie. Rodica ruchem brody wskazuje mu sąsiednie pomieszczenie.

RODICA Jest tam. Chce pan ją zobaczyć?
RICHARD Nie mam odwagi. Jeszcze nie.
RODICA Mam nadzieję, że nie cierpiała.
RICHARD (gwałtownie) Te wszystkie bzdury, które mówi się na pogrzebach... „Nie cierpiała..." I co z tego? Ale jednak umarła! A zresztą, gdyby cierpiała, czy my teraz cierpielibyśmy bardziej?

Rodica, onieśmielona, nie wie, co odpowiedzieć.

W tej samej chwili zjawia się Elina, trochę zdyszana.

ELINA Nie mogłam nigdzie zaparkować. Spóźniłam się?
RICHARD Mam nadzieję, kochanie, że zawsze będziesz się spóźniać na spotkania ze śmiercią.

Całują się.

Z kaplicy wychodzi Diane, blada, ze zbolałą twarzą, starając się panować nad sobą, przez co wydaje się nieco sztywna. Powolna, milcząca, przypomina wielkiego, czarnego łabędzia: jest zarazem wzruszająca i budzi podziw.

Widząc Richarda, na chwilę przystaje.

Richard próbuje złożyć jej kondolencje, po czym rezygnuje.

Patrzą na siebie.

Wreszcie Richard podejmuje inicjatywę i pochyla się do Eliny i Rodiki.

RICHARD Idźcie do kaplicy, zaraz do was przyjdę.
ELINA Ledwo ją znałam...
RODICA Przyszłam tylko, żeby dotrzymać wam towarzystwa, panu i Elinie... nie...
RICHARD (łagodnie) Proszę was.

Rodica i Elina rozumieją, że powinny zostawić Richarda sam na sam z Diane i dyskretnie się oddalają.

Zostawszy sami, Diane i Richard, najpierw patrzą na siebie bez ruchu.

RICHARD Jak się miewasz?
DIANE Brakuje mi mamy, ale w końcu się do tego przyzwyczaję.
RICHARD Bardzo kochałem twoją matkę...

DIANE Uczyniłeś moją matkę szczęśliwą. Uwielbiała cię. W ostatnich latach wyobrażała sobie, że z tobą żyje, myślała, że przychodzisz do nas ze względu na nią, że ubierasz się dla niej... W każdym razie ona na pewno ubierała się dla ciebie! Była taka zalotna, tak chciała się podobać... Nie to co ja.

Diane przerywa, na jej twarzy maluje się ból.

RICHARD A teraz powiedz mi prawdę: jak się czujesz?
DIANE Dobrze. Jak nigdy.

Twarz Richarda wyraża niedowierzanie. Diane dostrzega to i uśmiecha się.

DIANE (skrępowany) Ty i twoja żona chcielibyście, żebym była nieszczęśliwa?
RICHARD Daj spokój...
DIANE Oczywiście.
RICHARD Nie...
DIANE Tak! Diane wyrządziła dużo zła - teraz za to zapłaci. Kto nie ma tej dziecinnej wiary, że istnieje jakaś sprawiedliwość? Sprawiedliwość wpisana w porządek świata, która prędzej czy później sprawia, że kara dosięga niegodziwców, a dobrzy zostają nagrodzeni.

Wybucha śmiechem. Richard patrzy na nią nieufnie.

DIANE Kto jest dobry? Kto zły? Nie ma ludzi dobrych i złych, są tylko złe albo dobre uczynki. I ludzie, którzy miotają się między nimi.
RICHARD (próbuje ją uspokoić) Uspokój się, Diane...
DIANE Chciałam cię ukarać za to, że ode mnie odszedłeś, no i zemściłam się! Rezultat? Jesteś szczęśliwy. Elina jest szczęśliwa.

Wyczerpana, siada.
Richard, pełen współczucia, siada obok niej.

RICHARD Tektonika uczuć.
DIANE Słucham?
RICHARD Tektonika uczuć. Przypomnij sobie, rozmawialiśmy o tym któregoś wieczora. Uczucia przemieszczają się jak płyty, które tworzą Ziemię. Kiedy się poruszają, kontynenty zderzają się ze sobą, powstają gwałtowne przypływy, wybuchy wulkanów, tsunami, trzęsienia ziemi... Coś takiego ostatnio przeżyliśmy.
DIANE Przez swoją pychę, przez zbytni pośpiech, wprawiłam płyty w ruch i spowodowałam katastrofę.

RICHARD (chwyta ją za rękę) Tak. Ale jest już po wszystkim. Teraz nastał spokój.
DIANE Nie, Richard, płyty unoszą się i przemieszczają na powierzchni, ale przyczyna zderzeń wciąż istnieje: to ogień, który wydostaje się z głębin, radioaktywna lawa, nieustające wrzenie. (z mocą) I choćbym nie wiem jak odrzucała swoje uczucia, nigdy się ich nie pozbędę. Dopóki bije we mnie serce...

Nie śmie mówić dalej, odrzuca głowę do tyłu.

DIANE Nie kochałam cię.
RICHARD Ty?
DIANE Nie kochałam cię. Albo kochałam cię źle. W rzeczywistości z tobą współzawodniczyłam. (pauza) Zawsze postępowałam jak mężczyzna, Richard, może dlatego, że nie chciałam stać się słodką idiotką, jak moja matka, może dlatego, że brakowało mi ojca, może dlatego, że w życiu zawodowym musiałam rywalizować z mężczyznami. Ale mężczyzn nie powinno się kochać, tak jak się z nimi walczy... Odniosłam w pracy wiele sukcesów, za to moje życie osobiste... (z bólem) Ty kochasz Elinę tak, jak nikogo dotąd nie kochałeś, zyskałeś w niej żonę, prawdziwą... szczerą. A dlaczego? Bo nie można osiągnąć miłości, nie zaznawszy wcześniej upokorzenia. Ja was upokorzyłam, ją, ciebie. Przeze mnie znaleźliście się na samym dnie

hańby, każde z was musiało się czołgać – wtedy do was dotarło, że nie możecie się bez siebie obejść... I zezwoliliście sobie na to, żeby się kochać.

Diane wzdycha.

DIANE Ja byłam kaleką, niezdolną do jakichkolwiek uczuć, bo nie miałam o nich pojęcia.
RICHARD Nieprawda. Kochałaś swoją matkę.
DIANE Mamę? Kobietę dziecko, latawicę, zaprzeczenie wszystkiego, co cenię i szanuję...
RICHARD Jednak nie przestałaś jej kochać, nawet wtedy, kiedy była dla ciebie niesprawiedliwa...
DIANE ... nawet kiedy mi wyrzucała, że nie jestem chłopcem. (ze łzami w oczach) Moja jedyna miłość, moja matka, moja jedyna prawdziwa miłość... bezwarunkowa...

Richard, któremu udzieliło się wzruszenie Diane, kładzie jej rękę na ramieniu. Diane opiera policzek na jego dłoni.

DIANE Chciałabym spróbować z tobą.
RICHARD Słucham?
DIANE Kochać cię taką miłością. Miłością bezwarunkową.
RICHARD (zaniepokojony) Diane, tłumaczyłem ci już, że czasu nie da się cofnąć.

DIANE Nie o tym mówię.
RICHARD I że nie opuszczę Eliny.
DIANE Nie o tym mówię.
RICHARD Wyjedziemy z Eliną za granicę.
DIANE Wiem. Nie o tym mówię.
RICHARD Ty i ja pewnie więcej się nie zobaczymy.
DIANE Wiem. Nie o tym mówię.

Richard milczy, osłupiały.

RICHARD A o czym?
DIANE Mówię tylko, że chcę nadal cię kochać. Czy raczej zacząć cię kochać.
RICHARD Ale co to dla ciebie oznacza?
DIANE Chcę, żebyś był szczęśliwy.

Pauza.
Richard jest zaskoczony, nie wie, co odpowiedzieć.

DIANE Jesteś szczęśliwy z Eliną?
RICHARD Tak.
DIANE A więc ja też jestem szczęśliwa.

Elina wraca. Nie kryje zaskoczenia na widok Richarda i Diane tak sobie bliskich, tak przyjaźnie do siebie nastawionych.

ELINA Richard? Wszystko w porządku?
RICHARD Wszystko w porządku.
ELINA... Idziesz?

Elina, zaniepokojona, chciałaby, żeby jak najszybciej opuścił jej rywalkę.

Diane spogląda na Richarda uspokajająco, dając mu do zrozumienia, że się zgadza.

DIANE Idź.

Wspaniałomyślnie zwraca go żonie. Czy odgrywa wzniosłą scenę pożegnania, żeby pokazać, jaka jest szlachetna? Czy jest szczera?

Richard oddala się, przejęty.

W ostatniej chwili odwraca się i mówi drżącym głosem:

RICHARD Kocham cię, Diane.
DIANE Ja ciebie też, Richard.
RICHARD Nareszcie?
DIANE Nareszcie...

TEKTONIKA

Kiedy mają mówić o uczuciach, poeci często odwołują się do geografii, bo albo chcą znaleźć drogę, albo - przeciwnie - zabłądzić. I tak już w starożytności dawali rzekom nazwę „zapomnienie" i odnajdywali rajskie ogrody, a w wieku siedemnastym narysowali Mapę Czułości, plan podpowiadający zalotnikowi, jak dotrzeć do ukochanej w krainie miłości, ziemi, wokół której kłębi się niebezpieczny i wzburzony ocean kipiący namiętnościami.

Dziś geografia się zmieniła; nastawiona bardziej na historię niż na opisy krajobrazu patrzy na teraźniejszość przez pryzmat przeszłości, na bezruch przez pryzmat ruchu i zakłada, że pod krótkotrwałą stabilnością kryją się motoryczne siły. Sformułowana przez niemieckiego uczonego, Alfreda Wegenera, teoria *tektoniki płyt*, czyli wędrówki kontynentów, zajmuje się badaniem struktur geologicznych i działań, które ją wywołują. Sztywne płyty tworzące powierzchnię Ziemi przemieszczają się, poruszane oddolnymi ruchami płaszcza astenosferycznego; w wyniku tych ruchów powstają łańcuchy górskie, morza, trzęsienia ziemi, wybuchy wulkanów, wysokie fale.

Teorię tę można z powodzeniem zastosować do naszej psychiki. Obecnemu stanowi naszych uczuć wciąż zagraża promieniotwórcza siła podświadomości - plastycznej, ruchliwej, w stanie nieustannego wrzenia. Wystarczy, że lekko drgnie jedno uczucie, a już wszystko zaczyna się trząść i przemieszczać, następują kolejne zmiany i wybuchają katastrofy.

Od sielankowej Mapy Czułości cenionej przez Pannę de Scudéry, gdzie po kąpieli w rzece zwanej Szacunek wypływało się łódką na rzekę Skłonność, by następnie udać się do wiosek Bilecik albo Liścik miłosny, wolę brutalną, zmienną, dynamiczną, otwartą na przygodę, na przypadek tektonikę uczuć, w której wszelki porządek okazuje się tymczasowy, wszelki spokój iluzoryczny, w której życie bezustannie cyzeluje swoje dzieło budowy i zniszczenia.

E.E.S.